LES MORTES DU BLAVET
est le trois cent troisième livre
publié par Les éditions JCL inc.

Données de catalogage avant publication (Canada)

Laplante, Laurent

Les Mortes du Blavet

(Collection Couche-tard)

ISBN 2-89431-303-9

1. Titre.
PS8573.E335S2 2003 C842'.54 C2003-940097-2
PS9573.E335S2 2003
PQ3919.2.L42S2 2003

Édition originale : mars 2004

Les Mortes du Blavet

ROMAN POLICIER DU MÊME AUTEUR:

Des clés en trop, un doigt en moins, Québec, L'Instant même, 2001, 176 p. (Prix du roman policier de Saint-Pacôme, 2002.)

930, rue Jacques-Cartier Est, CHICOUTIMI (Québec) G7H 7K9 Canada
Tél. : (418) 696-0536 – Téléc. : (418) 696-3132 – www.jcl.qc.ca
ISBN 2-89431-303-9

Laurent Laplante

Les Mortes du Blavet

LES ÉDITIONS JCL

Nous reconnaissons l'aide financière du gouvernement du Canada par l'entremise du Programme d'aide au développement de l'industrie de l'édition (PADIÉ) pour nos activités d'édition. Nous bénéficions également du soutien de la SODEC et, enfin, nous tenons à remercier le Conseil des Arts du Canada pour l'aide accordée à notre programme de publication.

Gouvernement du Québec – Programme de crédit d'impôt pour l'édition de livres – Gestion SODEC

À celle qui a longuement marché
avec moi le long du Blavet.

Dans les boucles du Blavet.

1

Le lundi 30 septembre, 7 h 30

Dès la sonnerie, André Pharand avait saisi distraitement son combiné et l'avait coincé avec un soupir entre l'oreille et l'épaule. D'un matin à l'autre, il espérait une récompense : en se rendant tôt au bureau, il jouirait d'un temps de calme. Déception après déception. L'espoir se faisait plus timide le lundi matin, car la fin de semaine y déversait tout ce qu'elle avait accumulé de saloperies. Elles auraient tôt fait de tout envahir. Et c'était un lundi matin où même la lumière manquait de franchise. Il n'avait pas levé les yeux du formulaire aussi soporifique que les autres dont il achevait de s'acquitter. Policier ou pousse-crayon, les deux métiers tendaient à se confondre. Il avait simplement couché sa règle face à sa dernière réponse – « rien » –, pour ne pas avoir à tout relire.

– André Pharand, avait-il répondu par réflexe, pas encore vraiment à l'écoute. Pourquoi aurait-il tenté de prévoir la suite ? Ce pouvait être aussi bien une mère affolée parce que sa fille de dix-neuf ans avait découché ou un fêtard mal dégrisé et délesté de ses cartes de crédit.

— Salut, André.

La voix éveillait des échos en lui. Pas assez toutefois pour qu'un visage ou un nom émerge du brouillard. Il attira à lui son bloc-notes et attendit. Une main à plat le long de sa joue gauche, comme pour faciliter la concentration, l'autre jouant, faute de mieux, à agresser le bloc-notes tantôt à la pointe du stylo, tantôt, par l'autre bout, à grands coups de clics stupides.

— On appelle ça des amis, poursuivit la voix.

Tomba ensuite un silence que Pharand trouva vite agaçant. Son métier le lui avait enseigné, un vide bien assené cause plus de dégâts qu'une question. Mieux un enquêteur gère ses silences et ses absences, avait-il appris et répété, plus le truand s'inquiète de ce que promet ce calme inattendu. Comme des parents craignent le pire quand l'enfant cesse ses bruits dans la pièce voisine. Beau principe, mais il n'appréciait pas que l'astuce le prenne comme cible.

— Tu es sur la bonne voie, insista le correspondant.

Le visage et le nom surgirent en même temps dans la mémoire.

— Yann, mon vieux sacripant!

L'autre rigolait.

— J'entendais grincer les engrenages dans ta tête de flic. Si je parlais, tu retraçais mon accent, mais quand j'ai fermé mon clapet, tu t'es rappelé un collègue aussi vicieux que toi!

— Tu étais cuit de toute façon, répliqua Pharand. On n'est pas en France ici et mon afficheur me montre un numéro d'à peu près vingt-huit chiffres. Eh bien! salut, mon Yann. Je ne sais pas ce qui t'amène, mais je suis content de te parler.

Derrière son pupitre encombré, Marceau, le compagnon de Pharand, a adopté l'attitude du rapace en vol plané: d'autant plus attentif qu'il se fait plus silencieux. Quelque chose se passe qui ne doit rien à une conversation professionnelle. Marceau observe et enregistre. Il sait Pharand peu enclin aux débordements. Ses amitiés ont la pudeur comme première qualité. Et le voilà lumineux!

Marceau a raison: l'amitié est là et Pharand en resplendit. Le fil de la conversation se ressoude de lui-même. Il y a pourtant longtemps - combien déjà? Trois ans? Quatre? - depuis le dernier vrai face à face entre le policier breton et le Québécois. Nul besoin de s'apprivoiser. Cela a été fait et cela tient le coup. À peu de choses près, ils appartiennent à la même couvée, car les cinquante ans de Féroc ne lui donnent qu'une courte avance d'un anniversaire sur Pharand, à peine de quoi justifier un droit d'aînesse que le Breton rend exorbitant et dont il extrait les interprétations les plus abusives. Les deux hommes aiment leurs différences et les laissent envahir la moindre discussion, mais ils sont liés par l'essentiel. La ville, avec ses vices et ses hypocrisies, ses raffinements et ses tolérances, a marqué Pharand. De sa Bretagne, Féroc conserve la placidité, le respect des liens qui tiennent les voiles, mais aussi de ceux que les siècles ont noués entre les humains et la nature. Pour lui, l'ordre a quelque chose de granitique. La chouannerie renaîtrait qu'il reprendrait du service. Au fil des ans, Pharand, malgré son intérêt de plus en plus pantouflard pour les sports et la modération qu'il s'efforce de montrer à table, s'est laissé enrober, tandis que Féroc, le poil ras comme celui d'un braque, dense et râblé comme le fervent de foot qu'il a été, succombe devant le pain chaud du jour et les charcuteries sans jamais payer rançon à son ceinturon. À la prochaine occasion, ils débattront longuement des effets de l'âge... sur le collègue.

— Tu ne m'appelles quand même pas du fond de ta Bretagne pour me vendre des crêpes?

Pharand, comme Féroc sans doute, aurait souhaité ressusciter l'intime plus longuement, mais la mise à jour pouvait attendre. Yann et lui avaient si franchement parlé famille, boulot, retraite, politique et pêche à l'occasion d'une enquête du Breton au Québec qu'ils pouvaient faire patienter les nouveautés personnelles et vaquer au plus pressé.

— J'enquête sur la mort d'une femme de chez toi.

— Meurtre?

Malgré leur amitié, Féroc se serait probablement contenté d'un courriel s'il s'était agi d'une mort accidentelle ou d'un crime réductible aux banalités. La question avait donc quelque chose d'académique, mais Pharand détestait l'expression « cela va sans dire ». Il préférait que les choses soient dites. Le jeune et tatillon Marceau l'avait d'ailleurs poussé activement vers un certain formalisme. Peu intuitif, désormais aussi dévot au calepin qu'il l'avait méprisé au début, Marceau notait tout, terminait les trois quarts de ses observations par un point d'interrogation et soupçonnait à chaque matin le soleil de se lever sans justification suffisante. Avec son Jean-Jacques toujours à l'affût, mieux valait pour Pharand ne pas sauter de liens : tout raccourci se paierait en explications oiseuses.

— Plus que probable, répondit Féroc. Dans mes os, c'est certain à quatre-vingt-dix-neuf pour cent. Mais tu sais ce que c'est : un cadavre de femme qui flotte, un trou à la tête... Va jurer qu'on l'a assommée et un petit diplômé en chienne blanche va affirmer qu'elle est tombée et s'est fracassé le crâne sur une pierre avant de boire la tasse. Je ne dis pas qu'il n'y a pas de pierres le long de l'eau, mais la pierre qui arrache la moitié de la tête, moi je la garde dans mon coffre à outils. Mais j'ai passé l'âge de m'ouvrir la trappe avant les toubibs. Ma petite idée, garde-la pour toi. Je parierais mes prochains encornets qu'on lui a coupé le souffle avant de l'expédier dans l'eau.

Si Féroc offrait en gage son plat préféré, Pharand n'avait qu'à souscrire à sa thèse. Ils partageaient donc l'hypothèse du meurtre sans décider encore si la mort avait précédé ou suivi la chute dans l'eau. Selon que l'autopsie trouverait ou non de l'eau dans les poumons, les hypothèses bougeraient. Mais puisque Féroc se mettait en chasse avant les conclusions de l'autopsie, Pharand pouvait dégager sans risque quelques conclusions : mort toute récente, enquête jugée suffisamment urgente et soumise à assez de pression pour que Féroc brusque la cueillette de renseignements...

— Tu disais que le cadavre flottait. Depuis longtemps?

— Non, sûrement pas. Notre Blavet, ce n'est pas votre Saint-Laurent. Un cadavre qui flotte, on n'attend pas huit jours pour le voir. Dans ce cas-ci, moins de vingt-quatre heures.

Pharand laissa passer l'occasion de taquiner le Breton sur les ruisseaux que la vanité gauloise traite de fleuves.

— Comment dis-tu? Le Blavet?

On aurait mentionné la Seine à Pharand qu'il aurait de nouveau rêvé aux voyages projetés avec Fernande, et jamais effectués. Paris, un certain romantisme vaguement délinquant, une atmosphère de deuxième voyage de noces, des images imprécises et naïves traînées depuis l'adolescence peut-être, tout cela, à la simple mention de la Seine, aurait pu l'émouvoir de nouveau. À la rigueur, la Loire et le Rhin auraient aussi réussi à le séduire. Mais le Blavet!

— Oui, le Blavet. Un petit fleuve tout en courbes. Assez étroit pour que tu puisses toujours voir l'autre rive. Les bords sont parfois assez escarpés, mais pas dans la partie où on a trouvé le corps. Dans la boucle où le corps dérivait, tu peux t'asseoir sur le bord et pêcher. Les pieds dans l'eau ou presque. Mais le débit est bon et il y a de l'eau sous les quilles.

Ils résistèrent tous les deux à la tentation d'évoquer leur loisir préféré. À son bureau, Marceau avait relâché sa surveillance, absorbé par un appel qui lui inspirait visiblement une foison de notes. Pharand parvenait mal à imaginer le décor dont parlait Féroc. Le Saint-Laurent peut rouler un cadavre jusqu'à sa décomposition avant de l'abandonner distraitement sur une plage déserte. Même dans des rivières comme le Richelieu ou la Saint-Maurice, un cadavre peut voguer pendant des kilomètres avant d'attirer l'attention et encore ce sera dû au hasard. Mais les différences d'échelle importaient peu; on ne lui demandait pas de recréer le décor dans sa tête. Féroc, bien sûr, fouillerait son territoire familier. Si Marceau et lui devaient remplir un rôle dans l'affaire, ce serait forcément au Québec, pas en Bretagne. D'instinct, Pharand jeta un coup d'œil vers Marceau. Celui-ci avait raccroché et repris sa garde vaguement méfiante. Pharand imaginait d'avance l'objection : que la France, dirait Marceau tout à l'heure, règle ses problèmes! Pharand assécha dans sa tête le ruisseau breton et chercha l'angle québécois de l'enquête. Il aurait à se justifier!

— Tu parlais d'une femme de chez nous? Parles-tu d'une vraie Québécoise? de demander Pharand.

Cela faisait partie de ses marottes. Il distinguait les vraies Québécoises de celles qui, surfant sur deux semaines de dépaysement, se peinturaient vite fait d'un vernis européen. À deux pas de la cinquantaine, il bouillait toujours d'une vaste impatience face à quiconque profitait d'une quinzaine en sol français pour s'acheter un parler pointu et ne jurer que par *Le Monde diplomatique*. Il percevait dans ce trop rapide collage d'allégeances une grossièreté de parvenus, une honte des origines. Élevé à la dure, il avait fait ses premières armes dans des environnements brutaux et n'avait jamais consenti à juger les gens d'après les étiquettes achetées en cours de route. À ses yeux, les plaisirs, y compris ceux de la culture, valaient qu'on les apprivoise. Obscurément, peut-être intimidé malgré lui, il n'aimait pas qu'on traite la France et son raffinement avec désinvolture. La France n'était pas de ces femmes qu'on tutoie au premier abordage. Les parvenus qui s'appropriaient la France comme un Old Orchard un peu moins proche, cela lui mettait les nerfs en boule. Féroc lui parlait-il d'une vraie Québécoise ou... Il allait enfourcher son dada quand Féroc l'interrompit. Pharand eut la vision de Féroc la main levée pour endiguer le flot.

— Oui, oui, André! La morte dont je te parle, c'est une vraie Québécoise. Pas tout à fait de souche, mais une vraie.

Féroc était pressé. Il connaissait son Québécois et se rappelait son flamboyant discours sur celles qu'il appelait les « déracinées volontaires ». Et son autre sur les « snobismes socialement transmissibles ». Assis l'un devant l'autre pour célébrer enfin la conclusion d'une enquête en même temps que la fin d'un séjour de Féroc au Québec, ils avaient passé des heures à disséquer et à critiquer leur société respective. Féroc se souvenait d'y avoir beaucoup parlé de la renaissance du breton, mais aussi du désœuvrement des adolescents, des cambriolages à répétition grâce auxquels des jeunes de Lorient, de Vannes, de Brest approvisionnent leurs réduits en électroménagers, du français truffé d'expressions made in USA. Pharand, pour sa part, avait alors tracé au scalpel le portrait de ces adolescentes attardées qui partent se frotter aux universités françaises, qui s'y concoctent en huit jours un accent en cul de poule, se prennent pour la descendance spirituelle de Beauvoir et de Sartre et qui, sitôt dit, sitôt fait, s'amourachent d'un nomade fauché ou d'un beau prof en mal de jeune chair exotique. Une fois vendu le billet de retour payé par les parents, les demoiselles s'incrustent au point de perdre jusqu'au souvenir de leur rampe de lancement. Sur ce thème, Pharand avait offert un spectacle son et lumière que Féroc avait goûté jusqu'au fou rire. Féroc avait rigolé et il rigolerait encore, mais pas aujourd'hui.

– Je te jure, André, elle était encore dans ta ville de Québec la semaine dernière.

Quelque chose ne collait pas.

– Pourquoi met-on de la pression sur toi s'il s'agit d'une étrangère?

– Amarre ton ratiot une seconde que je te mette au parfum. Tu as raison, il y a de la pression. La fille est arrivée ici la semaine dernière, le 23 ou le 24 septembre, et elle s'est installée chez sa grand-mère. Vingt-deux ou vingt-trois ans. Marie-Françoise Le Guern. Ici, les Le Guern, c'est une grosse exploitation agricole, une famille de poids politique. C'est moi qui ai appris la nouvelle à la grand-mère hier soir.

— C'est le pire de notre damné métier, avança Pharand.

— Tu l'as dit, même si la dame a encaissé le coup sans une larme. D'après moi, elle s'attendait à quelque chose. Sa petite-fille a eu deux fois la visite de son « chum » du Québec. La deuxième fois, elle a quitté la maison avec lui et la grand-mère ne l'a pas revue. Elle était sur le point de déclencher l'alarme quand je suis arrivé. Maintenant, elle est sur le sentier de la guerre.

Pharand avait commencé à dessiner un arbre généalogique à trois paliers sur son bloc-notes : la grand-mère au sommet, un espace vide, la morte au rez-de-chaussée. Un seul nom jusqu'à maintenant, celui de Marie-Françoise, la petite-fille. Morte. Il l'imaginait en train de dériver, le regard tourné vers le fond.

— Sais-tu si Marie-Françoise avait de la famille au Québec? demanda-t-il. Est-ce qu'il y a des gens que je dois avertir? Pas que j'aie le goût, mais...

— La mère habite aussi Québec. Viviane Le Guern. La grand-mère lui a déjà téléphoné et elle doit prendre le premier avion pour Paris. Elle est peut-être déjà en route. J'aimerais que tu vérifies. Le plus urgent, c'est que tu m'aides à localiser le « chum ». Il est peut-être encore ici, il est peut-être reparti, je ne le sais pas.

— Suspect numéro un?

— Les apparences sont contre lui, dit sobrement Féroc. D'après la grand-mère qui l'a entrevu et qui a commencé à le détester quand il a freiné en fou devant sa porte, il s'appellerait Fernand Henri. Il s'est présenté sans avertissement à la résidence de la grand-mère vendredi soir au moment où les Le Guern dînaient en famille, et Marie-Françoise l'a expédié dans les orties. Il s'est un peu calmé et Marie-Françoise a accepté de le rencontrer le lendemain soir. Il a fait lever autant de poussière en partant qu'à son arrivée. De fait, il est revenu samedi soir et Marie-Françoise est partie avec lui. La grand-mère n'aimait pas la voir partir avec son hurluberlu, mais Marie-Françoise voulait lui dire son fait une fois pour toutes. On ne l'a pas revue vivante.

– Ça, c'était samedi soir? demanda Pharand. Et vous avez retrouvé le corps dimanche? Pas surprenant que tu parles de seulement vingt-quatre heures dans la flotte.

– C'est ça, André. Le plus simple, c'est que je t'envoie par courriel le texte qui a paru ce matin dans le journal *Nord-Ouest*, dans l'édition de Pontivy. Ça plante le décor et ça déborde même pas mal. Je te rappelle dans une heure. Note quand même le nom de la morte : Marie-Françoise Le Guern. La mère aussi porte le nom de Le Guern et elle aurait été mariée à un dénommé Raymond Asselin. Je te rappelle. Il est plus tard que chez vous, mais ma journée est loin d'être finie.

Pharand avait à peine eu le temps de dessiner des cases vides dans son arbre généalogique que Féroc raccrochait sur un « à tout à l'heure ».

2

Un drame à Saint-Nicolas-des-Eaux

Pontivy, lundi 30 septembre. - Un drame encore inexpliqué vient de frapper l'une des familles les plus en vue du Morbihan. Au moment de mettre sous presse, la police refuse encore de révéler si, à ses yeux, il s'agit d'un accident ou d'un crime. Marie-Françoise Le Guern, 23 ans, qui séjournait depuis quelques jours à peine dans la résidence de sa grand-mère, Anne Le Guern, à la limite de Pluméliau, a été retrouvée sans vie dans le Blavet à proximité de Saint-Nicolas-des-Eaux en fin de journée hier (dimanche). La jeune femme est née au Québec où habitait sa mère depuis son mariage avec un Québécois. Ce sont de jeunes kayakistes qui ont fait la triste découverte au cours de leur entraînement dans les boucles du Blavet et qui ont alerté la police.

Madame Anne Le Guern, veuve du fondateur des Produits Le Guern, dirige elle-même la grande entreprise agroalimentaire créée par son mari et qu'elle n'a cessé d'agrandir et de diversifier. Elle s'est dite profondément attristée par ce deuil qui s'ajoute à une série d'autres épreuves. En plus de la perte de son mari, madame Le Guern, en effet, a eu à déplorer il y a plusieurs années le décès de sa fille aînée Marie-Paule, presque au moment où la seconde, Viviane, émigrait au Québec.

Madame Anne Le Guern a fermement refusé tout commentaire sur le sort qui attend l'entreprise familiale. « Laissez-moi avec ma petite-fille », a-t-elle déclaré. La rumeur avait couru, cependant, que la jeune Marie-Françoise, qui termine au Québec des études supérieures en administration des affaires, jouerait bientôt un rôle clé dans la gestion de l'entreprise familiale.

Nous présentons nos plus vives condoléances à la famille éprouvée.

Nord-Ouest, édition de Pontivy.

3

Le dimanche 29 septembre

En se présentant à la longue maison de pierre d'Anne Le Guern en fin d'après-midi, Yann Féroc avait reçu un accueil équivoque. Une parfaite politesse de vieille famille marquait, cela allait de soi, chaque geste d'Anne Le Guern, mais l'arrivée inopinée d'un policier ne pouvait, après une déstabilisante absence de la jeune Marie-Françoise, que préluder à de mauvaises nouvelles. Féroc, avant même d'avoir ouvert la bouche, avait senti Anne Le Guern se raidir de tout son être. Un instant, ils restèrent tous deux silencieux et figés, lui un pas en retrait après avoir agité la clochette traditionnelle, elle une longue main presque diaphane encore posée sur la poignée de la lourde porte. À soixante-neuf ans, Anne Le Guern maintenait un parfait contrôle sur ses émotions, et son énergie demeurait apparemment intacte, mais une tension l'habitait que percevait le sixième sens du policier.

Féroc n'avait jamais été un familier de cette dynastie prospère. Souvent, toutefois, il avait croisé les survivants du clan décimé. Il avait fréquemment entendu parler de la mère et de sa fille Viviane, surtout pendant les années où il patrouillait le cœur de la péninsule bretonne. Des échos à leur sujet lui parvenaient aussi quand il multipliait les enquêtes à Vannes, à Lorient ou à Auray. Aujourd'hui encore, Féroc côtoyait la dynastie quand il sillonnait le Morbihan de jour et de nuit avant de regagner sa résidence de Pontivy et d'y retrouver sa solide et fiable Sophie. Sa Paimpolaise à lui, disait-il avec affection. Ce serait quand même sa première conversation avec Anne Le Guern. Sitôt alerté par l'animateur d'un centre de villégiature établi dans la boucle la plus refermée du Blavet, Féroc avait dépêché une ambulance et s'était rendu sur les lieux. La morte portait sur elle ses papiers d'identité, passeport canadien compris, et il aurait fallu être bien peu breton pour tout ignorer de la famille Le Guern. De Pontivy aux abords de Pluméliau, où l'entreprise familiale avait enfoncé ses racines et d'où elle avait essaimé, le trajet ne requérait qu'une vingtaine de minutes. Téléphoner aurait été de la dernière inconvenance. Féroc, qui détestait jouer les oiseaux de malheur, préférait tout de même avoir devant lui une personne, un regard, des larmes. En accomplissant cette mission suprêmement désagréable, non seulement Féroc n'avait pas eu à consulter le moindre plan, mais il avait pu, en cours de route, identifier plusieurs des maisons occupées par des employés de l'entreprise. Il en connaissait quelques-uns depuis l'école, d'autres grâce à l'immense réseau familial de Sophie. Ici et là, des mains furtives avaient entrouvert les rideaux pour épier son passage. Tout près, des regards curieux l'avaient vu tourner en direction de la résidence Le Guern. On l'avait accompagné de loin jusqu'à l'allée bordée de peupliers lombards. Déjà, l'usine à rumeurs vibrionnait.

Avec un certain trac, il avait essayé d'imaginer son face à face avec la maîtresse du clan. La famille Le Guern avait assisté à la renaissance du breton sans se sentir concernée. Tant mieux si d'autres, avec un blâmable temps de retard, retrouvaient enfin les usages ancestraux. Les Le Guern, eux, gardaient le cap, sans forfanterie ni défaillance. Anne Le Guern avait été, parmi les femmes de sa génération, l'une des dernières à abandonner la coiffe. Aujourd'hui encore, elle fréquentait l'église comme si cela allait de soi. Elle se permettait, cependant, d'assister à la messe dominicale à l'église d'Hennebont, à celle de Baud, à celle de Locminé ou dans une autre selon que ses relations d'affaires réclamaient une rencontre discrète, comme par hasard, sur un parvis en particulier. Après tout, pourquoi pas, puisque la foi est la même dans tout le Morbihan et que les églises ont toujours prêté leur vieux dallage aux négociations commerciales. Après l'hommage à Dieu, pourquoi pas la rencontre propice à la vente du cidre ou à l'écoulement du maïs? Féroc, moins constant dans ses dévotions dominicales, mais qui n'aurait jamais raté l'un de ses « pardons » préférés, avait vite constaté qu'Anne Le Guern aussi se faisait un devoir d'assister aux promenades que les Bretons font faire à leurs statues une fois l'an. Chaque fois, Anne Le Guern et lui se reconnaissaient du regard.

Poli, distant, à peine esquissé, un sourire leur suffisait à se féliciter l'un l'autre d'une même appartenance.

— Je redoute vos nouvelles, monsieur Féroc.

Pas de larmes ni même de crispation aux maxillaires, mais une infinie pâleur dans les traits, comme si le sang concentrait chaleur et couleur ailleurs, au plus intime, là où le chagrin ouvrait ses griffes. Anne Le Guern avait compris. Le détail pouvait se révéler sans rien ajouter à la douleur.

— Permettez-moi d'abord de vous exprimer mes condoléances, dit Féroc d'une voix qu'il fit aussi douce que possible.

Anne Le Guern le remercia d'une infime inclinaison de tête et l'invita d'un geste à gagner le salon. Puis, elle attendit. Le décor lui ressemblait: élégant sans ostentation, habité par de vieux objets lourds de sens et de continuité, chichement traversé par quelques rais de lumière, le salon pouvait tout entendre. Féroc, qui détestait les inconfortables chaises aux pattes squelettiques, fut heureux d'en constater l'absence. Il fit aisément confiance à un fauteuil trapu sans pourtant, aussi tendu peut-être que son hôtesse, s'adosser jusqu'à l'abandon. Les coudes aux genoux, il se penchait en avant vers Anne Le Guern qui s'était assise à deux pas de lui.

— Nous n'avons pas encore toutes les informations, entreprit Féroc, mais le décès semble remonter à hier soir. Votre petite-fille Marie-Françoise a été retrouvée dans le Blavet.

— J'en avais le pressentiment, murmura Anne Le Guern.

Féroc ne s'y méprit pas. Dans ce pays qui doit beaucoup aux légendes et aux brumes irlandaises et galloises, les intuitions ont bon dos et les voix des rêves et plus encore celles des cauchemars trouvent aisément créance. Les marins quittent le rivage en laissant derrière eux femme et enfants dans un sillage d'inquiétude. Les cœurs se portent l'un vers l'autre malgré les distances. Sur les côtes bretonnes, des familles s'approchent de la mer en furie et interrogent le vent pour s'assurer que l'être cher survit à la tempête. Quand tombe la nouvelle du drame, combien se signent et disent qu'un pressentiment les hantait? Loin des côtes et au creux d'une Bretagne modernisée et industrialisée, quelque chose subsiste de ces communications impalpables. Anne Le Guern n'appartenait pas à cette école. Même les épais brouillards du matin qui ne s'effilochent qu'après plusieurs assauts du soleil ne l'auraient pas conduite à craindre des spectres ou à voir ce qui n'existait pas. Dans la bouche d'Anne Le Guern, le pressentiment ne devait rien à la superstition.

— Quand son ami québécois s'est présenté ici vendredi soir, Marie-Françoise a été plus que surprise. Choquée. Il tenait à lui parler. Il répétait qu'il avait droit à des explications. Nous étions en pleine réunion familiale et nous avons, comme vous le savez peut-être, d'importantes questions successorales à régler. Ni mes deux petites-filles ni moi n'étions d'humeur à nous laisser intimider par cette grossièreté. Marie-Françoise lui a alors offert de le rencontrer samedi soir, hier soir. Il est parti à peine moins agité qu'à son arrivée. Quand il est revenu hier soir, nous sortions de table et Marie-Françoise regrettait presque sa proposition. Il était encore nerveux et sa voix montait malgré ses efforts pour parler bas. Marie-Françoise a enfilé sa canadienne et m'a dit au passage : « Il faut que ça finisse. Ne m'attends pas. » Marie-Françoise l'a rejoint dans sa voiture et j'ai eu l'impression qu'ils prenaient la direction du Blavet. C'est là que sont les cafés et que passe le sentier pédestre que le milieu désigne encore, au nom du passé, chemin de halage. Marie-Françoise a toujours aimé marcher le long du fleuve.

Féroc devina sa pensée : elle ne l'avait pas revue depuis lors et elle accusait presque de trahison le fleuve familier.

— Quelle heure était-il?

— À peu près dix-neuf heures trente. Nous dînons tôt. Il faisait encore clair. Je les ai regardés s'éloigner. J'ai été surprise qu'ils partent en voiture. Ils auraient pu rester à proximité, près des fontaines de Saint-Nicodème, ou marcher jusqu'au Blavet. En ne la voyant pas entrer, je me suis inquiétée, mais je ne me résignais pas à faire appel à vous.

Elle n'évoquait pas la police, mais s'adressait à Féroc : à lui de prendre charge. Elle ajouta, du ton de celle qui s'étonne sans condamner et qui s'incline devant les mues :

— C'est une autre jeunesse.

Un souffle encore et la pensée se complète douloureusement :

– C'était sa vie.

Féroc eut l'intuition que la vieille dame, en évoquant presque sereinement l'étrange départ de sa petite-fille, en englobait plus large. Anne Le Guern possédait trop de sagesse, trop d'expérience, pour sursauter devant une manifestation d'indépendance bien normale après tout chez une jeune femme de vingt-trois ans, rodée de surcroît aux mœurs d'une autre société. Féroc ne modifia pas sa posture, mais il abaissa ses mains qu'il avait jusque-là maintenues sous son menton, dans un geste de prière respectueuse peut-être emprunté aux gisants bretons.

– C'était une vie compliquée? osa-t-il demander.

Si Anne Le Guern se scandalisa de l'intrusion, elle ne le manifesta pas. Elle n'était pas femme à s'insurger contre l'inévitable. Tôt ou tard, les questions bourdonneraient, justifiées ou pas, et mieux valait les recevoir d'un policier civilisé et respectueux. Sans doute aussi Anne Le Guern, profondément meurtrie, mais peu portée à tourner la page, tenait-elle à faciliter l'enquête. Féroc sentit sa responsabilité s'alourdir sur ses épaules.

– Très compliquée.

Féroc laissa le silence effectuer son travail. Anne Le Guern ne remettait pas en question sa réaction spontanée. Elle faisait le tri dans les confidences de sa petite-fille et départageait ce qui, oui, requérait l'attention des enquêteurs et ce qui pouvait et même devait demeurer à jamais le secret des deux femmes.

— Marie-Françoise vient de traverser une période difficile. Ses études se terminaient dans le succès, l'administration l'intéressait plus que jamais, puis ce jeune homme est apparu dans le décor. Je ne l'ai vu moi-même que quelques minutes, mais mon impression rejoint ce que Marie-Françoise m'en a dit. Séduisant. Comment dire? Magnétique. Extrêmement énergique. Mais survolté. Redoutable. Ne me demandez pas si la drogue y est pour quelque chose, je n'y connais rien, mais c'est ainsi que ma génération, souvent sans raison, imagine ceux qui en usent. Je suis peut-être injuste.

Sans avoir l'air d'y toucher, avec un flair que la différence d'âge n'émoussait pas, elle avait décelé ce qui, en ce jeune homme, avait ébranlé Marie-Françoise. Une vitalité qui va chercher et amplifier au fond des autres le goût et le besoin du mouvement, de l'accélération. En un instant, Anne Le Guern avait perçu, avec un mélange de crainte et d'étonnement, la sauvage fébrilité du Québécois. Elle se tut brièvement, retournant à l'image gravée en elle, s'efforçant d'en extraire à retardement ce qu'elle avait vainement pressenti deux jours plus tôt.

— Marie-Françoise l'a aimé. Puis, ils se sont affrontés.

Une fois de plus, elle laissa régner le silence, puis elle devança la question de Féroc. L'affrontement avait opposé la femme et l'homme, deux conceptions de la vie commune et de l'autonomie des choix de carrière et d'environnement.

— Je comptais sur Marie-Françoise et elle le

savait. L'autre ne voulait ni d'une femme autonome et maîtresse de sa carrière ni d'une transplantation en Bretagne.

Tout n'avait pas été dit, mais Féroc avait atteint sinon dépassé les limites de la décence. Combler les vides laissés par le récit d'Anne Le Guern serait d'autant plus facile que, à l'autre bout, Pharand éclairerait d'autres coins d'ombre. Il était temps de revenir sur un terrain moins éprouvant et de laisser à Anne Le Guern un minimum d'intimité. Il était déjà étonnant que les journalistes ne se soient pas pointés. Il se redressa sur le bord du fauteuil et entreprit de se lever. Lisant dans ses pensées, Anne Le Guern le renseigna sur ses intentions.

— Un vieil ami de mon mari agit comme avocat de notre entreprise. Je vais faire appel à lui et lui demander de canaliser les questions.

Féroc, une fois de plus, admira l'agilité de ce cerveau. Cette grande dame ne serait pas facile à coincer dans un véritable interrogatoire. Autant elle mesurait ses réponses, autant elle désarmait les questions d'avance.

— Y a-t-il d'autres membres de votre famille au Québec, des personnes que nous pourrions avertir?

— Je vais appeler tout de suite la mère de Marie-Françoise. Si elle peut venir immédiatement, je verrai à ce que quelqu'un l'accueille à Charles-de-Gaulle.

Quand elle lui tendit la main, Féroc remarqua qu'elle était presque aussi grande que lui. Sa poignée de main n'était pas celle d'une dolente. Anne Le Guern l'avait traité avec respect. Il espérait avoir offert la pareille. Il avait noté ce qui était forcément beaucoup plus qu'une nuance : Anne Le Guern avait référé à Viviane comme à la mère de Marie-Françoise, non comme à sa fille.

4

Le lundi 30 septembre

— J'espère que ton pote Féroce sera satisfait, fit Marceau, d'humeur plutôt barbelée, en adoptant un accent français aussi faux que grinçant. À peine une demi-plombe et nous savons quelle sorte d'individu la petite Française est venue pêcher au Québec. Même son copain Hercule Poirot n'aurait pas été plus rapide.

— Poirot était belge, coupa Pharand, mais je te félicite : c'est vrai que tu as été rapide.

Ce n'était pas le temps de rappeler à Marceau que la petite Française était née au Québec. Française un jour, Française toujours, aurait-il répondu. La preuve? Son accent. Il n'en savait évidemment rien, mais il n'était pas d'humeur à envisager l'hypothèse qu'une femme nommée Le Guern puisse parler québécois.

— Est-ce que je dois facturer mes heures supplémentaires en euros? demanda Marceau.

Pharand, que l'humour abrasif de Marceau brossait à rebrousse-poil, chercha refuge dans le silence. Peine perdue. Marceau n'en avait pas fini. D'un geste large, il survola les documents déjà accumulés sur son pupitre à propos de l'amant têtu.

Les notes manuscrites y voisinaient les feuillets d'ordinateur.

— Est-ce que tu leur envoies tout le dossier de Fernand Henri? J'aimerais ça voir s'ils sont tellement plus fins que nous autres quand ils se retrouvent avec un petit farceur que son papa vient défendre après chaque gaffe.

— S'il a commis un meurtre, répliqua Pharand, je te jure que le paternel influent ne pèsera pas lourd.

— Henri s'est quand même dépris d'accusations sérieuses, s'entêta Marceau. S'il se trouve un bon avocat à l'accent pointu, il peut bien étirer sa chance.

C'était un de ces vilains jours. Marceau, qui filait un très mauvais coton depuis qu'une fracture de la cheville lui interdisait son jogging, passait sa rage sur les juges, sur les Français, sur les fils à papa et, pourquoi pas, sur Pharand. L'appel de Féroc n'avait pas amélioré les choses. Même si Pharand et Marceau faisaient équipe depuis des années, la connivence entre le policier breton et l'aîné du tandem québécois était d'un autre ordre. Jalousie aurait été un mot excessif, mais Marceau, que son immense corps et son énergie débordante auraient pu blinder contre l'insécurité, se sentait repoussé dans le camp des enfants quand Féroc et Pharand prenaient contact. Que les rencontres face à face ne se produisent qu'aux semaines des quatre jeudis et les conversations téléphoniques guère plus d'une fois l'an n'y changeaient rien : Marceau, adolescent de trente-sept ans, boudait. Agressé par ses béquilles, il n'en devenait que plus susceptible. Pharand, heureusement, avait eu une fin de semaine réconfortante avec Fernande et la descendance. Son épiderme demeurait lisse. Pour un temps.

— Qu'est-ce que tu penses? demanda-t-il sans réagir au vaudeville de Marceau autrement qu'en recourant lui aussi à une version personnelle de l'accent français. On aide les flics français à intercepter Henri avant qu'il retraverse l'Atlantique et on leur laisse le plaisir de l'accuser de meurtre? L'autre solution, c'est de vérifier quand Henri reprend l'avion et de l'épingler dès qu'il pose le pied en terre coloniale. Dans la deuxième hypothèse, on nous encense comme de fins limiers et nous perdons notre temps dans la paperasse de l'extradition. Si les petits cousins français cueillent Henri sur leur territoire, personne ne sait à quel point nous sommes brillants, mais nous ne perdons pas de temps avec un crime commis là-bas.

— Quand tu alignes des phrases comme ça, répliqua Marceau, j'allume mon détecteur de mensonges. Je sais que je vais me faire avoir.

Marceau avait quand même souri. Signe qu'il appréciait qu'on le consulte; signe aussi qu'il cherchait où Pharand voulait en venir avec ses raisonnements tordus. Que se recolle la cheville au plus tôt, se dit Pharand, et nous pourrons travailler.

— Ton avis? demanda Pharand, assez dégagé des vapeurs de l'adolescence pour se montrer conciliant.

Le silence de l'autre était de bon augure.

Quand Marceau fit de la main le geste désinvolte de celui qui s'en moque un peu, Pharand continua.

— Si le dossier complet d'Henri est déjà dans ton ordinateur, envoie tout de suite un courriel à Féroc et annexe-le à ton message. Oui, c'est toi qui signes.

Le grand corps de Marceau se détendit un peu plus : partager des sources, cela ne va pas de soi. La cour des grands, c'est toujours agréable d'y pénétrer.

— Ça va occuper Féroc pendant quelques minutes. En attendant qu'il rappelle, j'aimerais qu'on localise deux personnes : Fernand Henri, s'il est déjà de retour, Viviane Le Guern, si elle n'est pas partie. Qui choisis-tu?

— Laisse-moi finir Henri, répliqua Marceau.

Il s'était hissé sur ses béquilles. Il avait beau se promener avec un plâtre, sa force physique était manifeste, son impatience aussi. Peut-être en arriverait-il à se purger du racisme qui occupait une bonne place dans ses préjugés favoris.

— Tu m'énerves pas mal de ce temps-là, André, mais ça devrait aller mieux quand je serai d'un seul morceau.

Marceau ne soupçonnait visiblement pas à quel point Pharand désirait lui aussi la guérison complète!

5

Le lundi 30 septembre

Comme convenu, Féroc et Pharand firent le point à peu près une heure après leur première conversation. Anne Le Guern avait communiqué dès la veille au soir avec sa fille Viviane à Québec. La réaction? Anne Le Guern n'en avait pas dit grand-chose : « La mère de Marie-Françoise est très secrète. » Toujours le même détour pour ne pas nommer Viviane. Conversation que Féroc imaginait polie, plus crispée que cordiale, assurément sans fioritures. Comme un va-et-vient de télégrammes. Les deux femmes avaient désappris le dialogue, si elles avaient jamais pratiqué cet art. Viviane prenait ses dispositions pour se rendre en Bretagne et elle aviserait sa mère du numéro du vol. À l'aéroport Charles-de-Gaulle, une voiture avec chauffeur attendrait Viviane pour la conduire à Pluméliau à la résidence de sa mère. Les voies rapides autorisant soit 110, soit 130 kilomètres à l'heure, Anne Le Guern s'attendait à voir arriver la « mère de Marie-Françoise » en début d'après-midi le mardi. Féroc et Pharand s'étonnaient de la minutie de la feuille de route.

— Je ne sais pas comment ont évolué les

relations entre la mère et la fille, commenta Féroc, mais la Viviane dont j'ai entendu parler il y a des années n'a pas dû apprécier les conseils de sa mère.

— Conseils ou ordres? demanda Pharand.

— Conseils au départ de Pluméliau, ordres à l'arrivée à Québec, répondit Féroc. La grand-mère jurera qu'elle n'a avancé que des suggestions, la fille certifiera qu'on l'a traitée comme une débile. Ne prends qu'un bagage à main, comme cela tu n'auras pas à attendre les carrousels à Charles-de-Gaulle. Ils sont terriblement lents. Ne t'encombre de rien, le chauffeur est averti et il y aura de quoi te changer et manger dans la voiture... Tu vois le genre?

Pharand voyait très bien. En situant Viviane à mi-chemin entre la grand-mère et la petite-fille, Pharand lui attribuait quarante-trois ou quarante-quatre ans. Largement l'âge de savourer l'autonomie et d'opposer un parapluie ou un paratonnerre aux conseils ou ordres de maman. Sans savoir pourquoi ni comment Viviane Le Guern avait quitté la Bretagne, Pharand rangeait d'emblée Anne Le Guern parmi les motifs de départ de sa fille. La pensée lui vint que Viviane Le Guern n'était peut-être jamais retournée en Bretagne.

— Une chose m'a surpris, ajouta-t-il. Dans l'article publié par ton canard, on laisse entendre que la morte était dans les petits papiers de la grand-mère. Est-ce que la grand-mère et la petite-fille faisaient des projets par-dessus la tête de la mère? Est-ce que c'est pour cela que la fille, Viviane, s'est exilée au Québec?

Féroc avait réagi à l'article de façon plus volcanique. Il connaissait bien le journal, le jugeait plus porté au carnet mondain qu'à l'analyse sociale, mais, justement, une allusion aussi fielleuse constituait une véritable agression.

— Je ne sais pas pourquoi Viviane a largué les amarres. Il se peut que les deux femmes se soient crêpé le chignon. Madame Le Guern a bien pu penser qu'une fille d'à peine vingt ou vingt et un ans ne doit pas choisir son mari elle-même. Mon souvenir, c'est que les choses n'ont pas traîné. La veille, Viviane était là, le lendemain, elle n'y était plus. J'exagère, mais moins qu'un Marseillais. Je vais vérifier. Moi, c'est à l'autre petite-fille que je pense.

Pharand, qui avait entrepris la conversation écrasé d'imprudente façon au fond de sa chaise à bascule, se ramena d'un coup de rein à proximité du pupitre et de son bloc-notes. Il reprit son stylo et s'apprêta à meubler l'arbre généalogique.

— Quelle autre petite-fille? Explique-moi les trois étages un par un. En haut, la grand-mère, mari décédé. Clair. Au plancher du milieu, il y a Viviane. D'après l'article de ton scribouillard, la grand-mère a eu une autre fille, mais elle est morte depuis des années. Donc, Viviane est seule sur ce palier. Reste le rez-de-chaussée. L'autre petite-fille dont tu parles, où est-ce que je la loge : sous Viviane ou sous la fille qui est décédée?

— La fille qui est décédée a eu une fille, Ariane. Marie-Françoise et Ariane étaient cousines.

— Je comprends mieux pourquoi tu penses à

elle, Yann. La petite phrase de ton journaliste ne lui ferait pas plaisir. Espérons qu'Ariane ne saura jamais que sa cousine était la chouchou de la grand-mère...

— Chouchou, c'est la filleule?

— Damné Breton! Non, chouchou, c'est la préférée, la favorite, la petite chérie à sa grand-maman. Ça va mieux?

— Woh back, le Québécois! J'ai pigé, peut-être pas du premier coup mais j'ai pigé. Mais toi tu n'as pas compris la situation. La dénommée Ariane, ne la cherche pas en Papouasie. Elle est ici, à trois encablures de grand-maman chez qui elle va déjeuner le dimanche. Et elle travaille, avec son mari breton, à faire fonctionner depuis pas loin de dix ans l'entreprise de grand-maman! Elle se tape le boulot, puis elle apprend par le journaleux que la fille prodigue vient chercher le veau gras! Tu piges?

— Oups! fit Pharand, tout en inscrivant le prénom d'Ariane au rez-de-chaussée de son édifice généalogique. Il doit aimer les chicanes de famille, ton journaliste! D'après toi, est-ce qu'il savait ce qu'il faisait? Tu parles d'un vicieux!

Féroc ne put répondre. Ce n'était pas dans les mœurs du journal. Cela aussi faisait partie des vérifications à effectuer. En revanche, Féroc venait de recevoir les premiers résultats de l'autopsie.

— Ils sont rapides vos toubibs, déclara Pharand après un sifflement admiratif. Meurtre en soirée samedi, repêchage dimanche, du neuf le lundi. J'aimerais que tu nous prêtes quelques-unes de tes formules 1 médicales!

— N'en mets pas trop, André : lui aussi a reçu comme moi, disons, des incitations au zèle. Le laboratoire n'a pas dû subir les mêmes appels, car il manque encore des confirmations. L'essentiel, on l'a quand même.

— Et alors? Noyade?

— Non. Crâne fracassé. Ce qu'ils appellent un instrument contondant, quand ils ne savent pas quoi dire. Genre marteau ou pied-de-biche. Un seul coup, mais assez violent pour tuer instantanément. Comme d'habitude, le médecin refuse de garantir que le coup trahit un bras masculin, mais il préfère ne jamais danser avec l'amazone capable d'un tel dégât. Mais il y a autre chose : curetage très récent. Et, d'après le toubib, qui envoie ses amitiés à vos médecins ou à vos faiseuses d'anges, nettoyage assez mal fait.

Pharand manquait d'espace autour du nom de Marie-Françoise. Dans la marge à côté de son arbre généalogique, le nom de Fernand Henri était entouré lui aussi de questions diverses.

— Je ne sais pas, dit Pharand, si tu vas localiser avant moi le jeune homme qui a relancé Marie-Françoise chez sa grand-mère, mais on aura à peu près les mêmes questions à lui poser. Un avortement collé sur ce qui ressemble à une rupture définitive, cela est rarement bon pour l'image du monsieur! Du nouveau à son sujet?

Ils n'en avaient ni l'un ni l'autre. Ils se donnaient encore quelque heures avant de mettre les aéroports dans le coup et de lancer un mandat d'arrestation contre Fernand Henri. Le monsieur n'aurait qu'à se montrer un peu rébarbatif ou fuyant pour graduer du statut de témoin important à celui d'accusé de meurtre.

– Moi, je retourne chez la grand-mère. Ou elle était au courant des problèmes de sa petite-fille et elle ne m'en a rien dit, ou elle n'en savait rien et j'ai peur qu'un petit journaliste trop futé lance les résultats de l'autopsie dans le public. En plus, j'aimerais qu'elle m'en dise plus long au sujet de ce qu'elle discutait avec ses deux petites-filles quand Henri s'est présenté. Chanceux que tu es d'être encore à l'heure du déjeuner...

6

Le lundi 30 septembre

Pharand et Marceau n'avaient pas eu à éplucher l'annuaire téléphonique pendant des heures pour établir les coordonnées du duo Le Guern. Le bottin ne contenait que deux mentions de ce nom, l'une avec un V comme initiale, l'autre avec un ostensible Marie-Françoise. Discrétion et réserve chez l'une, confiance et affirmation chez l'autre? Aucun des policiers n'avait de grand intérêt pour ces théories. En revanche, ils obtenaient confirmation que les deux femmes, quels que soient leurs rapports familiaux, faisaient résidence à part. Indice aussi que la mère avait largué le mari Asselin en cours de route. Ou l'inverse.

— Aux innocents les mains pleines, bougonna Marceau. Toi, tu n'as qu'à téléphoner à une vivante au nom rare. Moi, il faut que je coure en prothèses après un petit tordu qui a refusé de s'appeler Wishinky ou Sicorström juste pour mal faire. S'il ne s'est pas appelé Tremblay, c'est parce qu'il n'y a pas pensé...

— Veux-tu qu'on échange nos cibles? demanda Pharand d'un ton suave. Je ne veux pas exploiter un infirme...

— Laisse tomber, André. Si ça me demande trop de taxis, j'enverrai les factures à tes vendeurs de menhirs.

Visiblement, Marceau avait si souvent raconté Astérix à son garçon qu'il s'était formé une opinion tranchée sur la Bretagne et ses irréductibles Gaulois. Pharand savoura sa victoire en silence. Sans rappeler à Marceau qu'il avait lui-même choisi la traque d'Henri plutôt que celle de Viviane Le Guern, il héritait du dossier qu'il préférait. Il avait hâte de connaître au moins une des trois générations de femmes Le Guern et, si possible, de reconstituer avec Féroc la malédiction qui frappait cette lignée. Du coin de l'œil, il observa Marceau. Toujours ingénieux dans ses méthodes de travail, il était plongé dans le bottin commercial, signe qu'il allait vérifier les mouvements de Fernand Henri autrement qu'en téléphonant à un régiment d'homonymes. Agences de location de voitures? Réservations auprès d'une compagnie aérienne? Pharand se fit la réflexion, qu'il garda pour lui encore une fois, qu'il n'y avait peut-être pas autant d'Henri dans le bottin que Marceau semblait le croire. Mais enfin!

Pharand rejoignit sans peine Viviane Le Guern. Il se doutait bien qu'elle serait absente de son travail et en train de préparer son départ. Mais comment aurait-il pu se forger d'elle une image précise? Mère éplorée, le mouchoir humide à la main? Femme totalement libérée du cordon ombilical et ne dialoguant avec sa fille que sous la pression d'obligations sociales? Il pariait sur la deuxième hypothèse. Féroc, sur la foi de souvenirs aussi brumeux que les matins bretons, la décrivait comme une femme à l'indépendance précoce et peu négociable. Pharand allait voir par lui-même! Elle répondit à la première sonnerie, d'une voix qui n'éliminait aucune des avenues. Pharand s'identifia.

— Je vous présente mes condoléances. Un policier breton vient de m'apprendre votre malheur.

Elle remercia laconiquement. Elle s'exprimait dans un français tout proche du québécois. Pharand n'aurait peut-être pas même détecté son origine européenne s'il n'en avait pas été avisé d'avance. Certes, les Bretons adoptent rarement le ton stratosphérique des speakerines de Radio France Internationale, mais il fallait quand même que Viviane Le Guern se soit immergée dans son milieu d'adoption pour avoir acquis cette connivence avec l'accent québécois. Pharand se mit lui-même en garde contre la tentation de jouer le sociologue à la petite semaine et à la grande prétention. Il pensa à son Jean-Jacques qui, sans l'avoir jamais entendue, avait accusé la jeune Le Guern de parler pointu. Préjugé!

— Je ne vois vraiment pas quels renseignements je pourrais vous donner, prévint Viviane Le Guern. Ma mère m'a téléphoné hier soir et j'ignore tout des circonstances. D'ailleurs, vous comprendrez que je sois pressée. L'avion pour Paris décolle à dix-huit heures cinquante et il me reste à arranger une connexion entre Québec et Dorval... Je vous écoute.

Pharand retardait son diagnostic. Secouée? Peut-être. À pic? Certes, mais qui ne le serait pas? Profondément chagrinée? Pas évident. Plus préoccupée des retrouvailles forcées avec sa mère et l'ancien milieu que du deuil lui-même? Comment savoir? Dans des circonstances analogues, se dit Pharand, j'aurais envoyé paître n'importe quel intrus, policier ou pas, et j'aurais réclamé le droit de cuver mon chagrin en paix. Il ne voulait pourtant pas faire faux bond à Féroc.

— Je vous fais une proposition, madame Le Guern. Quand vous aurez réglé la correspondance entre Québec et Montréal, vous me le dites et je vous conduis à l'aéroport en voiture. Nous aurons une vingtaine de minutes et vous me parlerez de votre fille et de son ami.

Il ne lui laissait guère de jeu et déterminait le programme sans vraiment la consulter, mais ce qui était un deuil pour elle était pour lui un meurtre à résoudre. L'allusion à l'ami était ambiguë à souhait; libre à elle de lui donner un contenu précis. Sa réponse serait éclairante. Pharand entendrait ce que la mère pensait des fréquentations de sa fille si, bien sûr, elle en soupçonnait quelque chose. Mais elle se désintéressa complètement de l'ami évoqué et réagit par une question.

— Êtes-vous en train de remplir une commande de ma mère?

Pharand, la conscience en paix, se dissimula derrière Féroc.

— Pas de tout. C'est l'enquêteur breton, un de mes amis, qui m'a demandé de l'aider et de vous faciliter les choses. Yann Féroc. Il ne sait pas si vous vous souvenez de lui.

— Marché conclu, fit-elle en se dispensant de préciser si elle se rappelait Féroc.

Il nota son adresse et lui dicta le numéro de son portable. À moins d'avis contraire, il serait à sa porte autour de quinze heures trente. Elle avait ignoré les questions au sujet d'Henri et de Féroc, mais elle n'avait guère voilé ses sentiments à l'égard de sa mère.

Marceau, sans perdre Pharand de l'œil, avait couvert du terrain. Signe de grande concentration, il avait desserré son nœud de cravate. Manches de chemise roulées jusqu'aux biceps, l'écouteur enfoui entre l'oreille et l'épaule gauche, il agressait son ordinateur de la main droite. Quand Pharand vint s'asseoir en face de lui, il dressa en l'air un pouce triomphant.

— Ça s'en vient, fit-il en coupant la communication. Comme diraient les vampires qui nous collent aux fesses, le dénommé Fernand Henri est avantageusement connu dans les milieux policiers. Plus emmerdeur que grosse pointure, mais on ne connaît pas ses limites. On ne sait pas s'il en a. Des fois, le talent attend les bons compagnons ou l'occasion. Vingt-cinq ans. Toujours en mouvement. Un soir à Las Vegas, deux jours après à Cozumel. Les lunettes fumées même le soir dans les bars. La douane l'a dans sa mire, mais rien au dossier en fait de drogue. Quelques emprunts de bagnoles, toujours des grosses cylindrées, un tas d'infractions pour excès de vitesse, de l'énervement en fin de soirée à propos d'une danseuse à poil, une accusation sans suite pour un œil au beurre noir à sa blonde...

— Récemment?

— Si tu penses à la morte, c'est non. C'est Morin le nom de la plaignante, ça ne ressemble pas à Le Guern. J'ai quand même noté les coordonnées de la Joanne Morin. Ça peut servir si on a besoin de faire le portrait d'Henri devant un tribunal. Le plus sacrant, c'est qu'Henri n'a même pas besoin de voler. S'il veut une bagnole, il n'a qu'à en prendre une belle grosse neuve au garage de son père.

— Cet Henri-là? demanda Pharand qui s'était cent fois étonné des dimensions de l'immense poste de vente.

— Yes, sir. L'homme qui vend plus vite qu'il n'achète. Papa riche, tolérant, le chèque à la main pour effacer les conneries de son adolescent de vingt-cinq ans. Papa paie l'appartement au Samuel-Holland, fournit la voiture, demande la permission de payer les cartes de crédit... Non, mais, je te le demande, qu'est-ce qu'une fille peut aimer dans une nouille comme ça? Est-ce qu'elles sont plus bêtes quand elles viennent de loin?

Il interrompit sa diatribe, daigna sourire.

— Bon, es-tu fier de ton handicapé?

— Beau travail, fit Pharand. Et où est-il, ce charmant jeune homme?

— Beau travail que tu dis, mais tu n'en as quand même pas assez! Il aurait fallu que je le jette dans les bras de ton Féroce en dix minutes, c'est ça? Give a man a break! fit Marceau en levant au-dessus de son fouillis deux larges paumes. Est-ce que j'ai besoin de traduire?

Marceau jouait avec le feu. Le franglais hérissait le poil de Pharand et Marceau le savait. Il retraita en voyant les sourcils de son collègue imiter les accents circonflexes.

— D'accord, fit-il d'un ton plus détendu. Je ne sais pas où il est. Je pense qu'il est encore en France, mais ça se peut qu'il soit déjà revenu ou sur le point de prendre le vol de retour.

Il marqua un temps d'arrêt avant d'ajouter :

— Il a couché au Mans hier soir. Il a peut-être été attiré par la publicité autour des vingt-quatre heures du Mans.

— Comment sais-tu qu'il a couché là?

Marceau, image parfaite de l'ambivalence, hésitait entre la fierté et la gêne.

— J'ai un contact chez American Express. Chaque fois qu'Henri se sert de sa carte, elle, je veux dire mon contact, le sait en deux minutes. C'est tout de suite inscrit sur le compte. Est-ce que c'est encore du beau travail?

Pharand s'appuya fermement les omoplates au dossier de la chaise. Il n'hésita qu'une seconde avant de pouffer et de ramener ses fesses au bord du siège.

— Si je te fracturais l'autre cheville pour t'obliger à toujours travailler au téléphone, trouverais-tu des trucs encore plus tordus? Dis à ton vieux collègue sans imagination s'il se trompe : vas-tu recevoir un faire-part si Henri débarque à Dorval et loue une voiture?

— Disons que, oui, je pourrais savoir assez vite s'il loue une voiture à Dorval ou s'il paie avec sa carte pour retirer sa voiture du stationnement de Dorval, répondit Marceau. Mais je ne veux pas abuser. Mon contact me doit quelque chose, mais pas assez pour me brancher en permanence sur son ordinateur.

Restait à disposer de ces renseignements. Jusqu'à maintenant, Féroc semblait considérer Fernand Henri comme un témoin important, sans plus. Peut-être avait-il été le dernier à voir Marie-Françoise Le Guern vivante, mais d'autres hypothèses résistaient encore. L'accusation, si elle devait surgir, dépendait de la police bretonne. Pharand estimait d'ailleurs que l'autre versant de la décision revenait à Marceau.

— C'est toi qui sais si tu risques de brûler une source. Dis à Féroc seulement ce que tu peux lui dire sur les allées et venues d'Henri. Il comprendra.

Sensible au geste de Pharand, Marceau coupa la poire en deux.

— J'attendrais. Si Féroc décide d'épingler Henri comme meurtrier, il sera toujours temps de lui signaler les derniers mouvements du bonhomme. Il ne fera pas une crise parce qu'on patrouille son territoire plus vite que lui... Lunch time?

— Toi, tu me parles de « lunch time » et Féroc me parle de déjeuner. Avec vous deux je ne sais plus à quel repas je suis rendu. Est-ce qu'on mange exotique? Moi, ça m'irait.

7

Le lundi 30 septembre

Féroc se doutait bien qu'Anne Le Guern garderait sa petite-fille près d'elle le plus longtemps possible. Il paria sur son intuition. C'est à l'apaisante résidence Le Guern plutôt que dans un antiseptique salon funéraire que Marie-Françoise serait exposée et que la grand-mère recevrait les prévisibles témoignages de sympathie. Selon un usage assez flou, la résidence ouvrirait probablement son salon dès vingt heures. On n'en était pas loin. Si le policier voulait parler à Anne Le Guern avant le défilé des visiteurs, mieux valait téléphoner tout de suite et se rendre à Pluméliau. Cette fois, téléphoner s'imposait.

Toute de noir vêtue, Anne Le Guern paraissait plus pâle que la veille. Ni bijoux ni maquillage, mais la main toujours ferme. Bretonne d'habillement comme de convictions, elle n'avait eu qu'à entrouvrir sa penderie pour s'y dénicher la robe noire exigée par le deuil.

— Merci de me recevoir, madame Le Guern. Je me suis permis d'insister, car je me méfie des indiscrétions de la presse. Encore plus après l'article de ce matin.

— Je ne sais d'où vient l'information et je ne réagirai pas. Je ne peux d'ailleurs pas nier que j'ai entretenu ce rêve. Ariane, mon autre petite-fille, en a été blessée et je ne la blâme pas. J'espère pour lui que ce journaliste ne se montrera pas ici. Il n'a d'ailleurs pas jugé bon de me parler avant de m'imputer des déclarations.

Féroc s'étonna de la grossièreté du reporter, mais aussi de la précision de la menace d'Anne Le Guern : l'article n'était pas signé. Il lança un hameçon :

— Si votre avocat a d'assez bons contacts pour obtenir son nom, j'aurais quelques questions à poser à ce malfaisant.

Anne Le Guern le toisa sans répondre. Décidément, se dit Féroc, les policiers et les journalistes ne sont pas les seuls à protéger leurs sources! Tant pis pour ma pomme!

— Pourquoi teniez-vous tant à me voir?

— Pour que vous le sachiez avant la presse : Marie-Françoise a été brièvement enceinte.

— Merci, monsieur Féroc, décocha-t-elle sèchement, si vite que Féroc jugea la riposte préparée d'avance. Marie-Françoise avait peu de secrets pour sa grand-mère. Je savais à quoi m'en tenir quand son ancien compagnon nous a envahis. Autre chose avant que j'ouvre ma porte aux visiteurs?

Féroc s'étonnait un peu. La nervosité gagnait-elle Anne Le Guern? Détestait-elle à ce point l'idée de subir l'examen d'un milieu qui n'appréciait guère les femmes chefs d'entreprises et qui prendrait plaisir à comparer son jugement avec celui de la presse? Il percevait en elle quelque chose qui s'apparentait à l'agressivité et qui n'était pas là la veille.

— Oui, madame Le Guern. Il se peut que cet ancien compagnon ne soit pas encore reparti pour le Québec. S'il se manifestait de nouveau, pourriez-vous me le faire savoir?

Féroc ne sut trop comment interpréter son imperceptible inclination de la tête. Il ne parierait pas sur un appel téléphonique.

— Me permettez-vous de prier un instant auprès de Marie-Françoise?

Il crut percevoir un infime tremblement de la lèvre quand Anne Le Guern s'effaça pour le laisser pénétrer dans le salon. Changement notable, les lourdes tentures s'étaient déployées et elles étouffaient maintenant les fenêtres. Contrastant avec les tons foncés du cercueil, le blanc visage de Marie-Françoise permettait d'imaginer ce qu'avait été au même âge l'élégante beauté d'Anne Le Guern, mais aussi d'entrevoir que la jeune fille avait peut-être hérité de la poigne familiale. Front affirmé, méplats vigoureux, la figure semblait prête à imposer sa façon de voir. Pourtant, le regard faisait défaut. Elle ne devait pas être facile, songea Féroc, qui se fit reproche de ses pensées bien peu pieuses.

En regagnant sa voiture, Féroc croisa un personnage dont il ne pouvait prévoir la présence dans le voisinage d'Anne Le Guern : Loïc Kervarec. Aucune possibilité de méprise pourtant. La voiture, large et massive, se reconnaissait sans peine. D'ailleurs, elle ressemblait à l'homme qui en sortit. Cylindrée et propriétaire respiraient la puissance et l'esbroufe. Féroc connaissait assez son Morbihan pour considérer Kervarec comme l'un des très rares propriétaires terriens qui puisse comparer son fief à celui du clan Le Guern. La rumeur avait plusieurs fois diffusé l'écho des affrontements entre les deux grands exploitants. À la mort du mari d'Anne Le Guern, on avait d'ailleurs explicitement prêté à Kervarec une fringale précise : celle d'ajouter à ses immenses emblavures l'entreprise qu'il jugeait orpheline. Avec le temps, tous durent admettre, concurrents, jaloux et fervents traditionalistes compris, qu'Anne Le Guern était de taille à mener sa barque et à rivaliser avec n'importe quel timonier. Mais le temps jouait contre elle. Après tout, Anne Le Guern serait bientôt septuagénaire, alors que Kervarec n'atteindrait la cinquantaine que dans deux ou trois ans. Les deux hommes se reconnurent, se saluèrent silencieusement de loin et se dirigèrent l'un vers la résidence Le Guern, l'autre vers sa voiture.

Une vilaine pensée surgit dans la tête de Féroc : Kervarec avait forcément lu le journal lui aussi. Était-il assez charognard pour venir vérifier en personne comment sa rivale encaissait la disparition de la petite-fille Le Guern, la perte de celle qui devait assurer la relève? Féroc n'hésita guère à prononcer contre Kervarec un verdict défavorable : oui, l'homme était capable des pires indélicatesses. Tout ne pouvait être complètement vrai dans les bruits qui lui étaient parvenus, mais le vérifier justifiait pleinement un haut-le-cœur. La preuve, ne l'avait-il pas sous les yeux?

En quittant la résidence, Féroc vit se profiler contre le ciel la silhouette de l'antique chapelle de Saint-Nicodème, si proche et si fondue dans le décor qu'elle semblait partie intégrante du domaine Le Guern. Comme le maïs jaunissant se dressait, haut et sec, au point de boucher partout l'horizon et de forcer le regard à se tourner vers le ciel, le vieux clocher jouait au repère fidèle. Puisqu'il était à tout juste un kilomètre ou deux du Blavet, Féroc roula lentement jusqu'au bord du fleuve, comme avaient dû le faire Marie-Françoise et Fernand Henri le soir du drame. Sans doute n'avaient-ils pas eu, le Québécois encore moins que Marie-Françoise, la moindre considération pour l'environnement. Il stationna sa voiture à quelques pas de l'écluse de Saint-Nicolas-des-Eaux et décida de profiter du calme pour marcher un peu, question de s'imprégner du décor et de rafraîchir son souvenir des données techniques. Les restaurants et cafés situés en bordure du Blavet étaient violemment illuminés, mais Féroc n'eut qu'à s'éloigner de quelques dizaines de pas pour retrouver la pénombre et le silence. L'automne voyait le tourisme se raréfier; bruits et éclairages consentaient à limiter leurs ambitions.

Écolier, le jeune Yann Féroc avait été, comme tous ses contemporains bretons, dûment initié à l'histoire du Blavet. Aujourd'hui encore, Féroc ressuscitait aisément dans sa mémoire ce petit instituteur à barbichette qui les avait convaincus, index dressé et carte géographique recouvrant le tableau noir, de traiter le Blavet, qu'eux jugeaient limoneux et banal, avec le plus grand respect. Il martelait la leçon : le sinueux petit fleuve, qui faisait à peine ses deux cents kilomètres même en le créditant de toutes ses boucles et pirouettes, avait sauvé la Bretagne de la famine et de l'isolement à l'époque de Napoléon. Puisque la flotte anglaise écumait la côte et interceptait toute voile française entre Brest et Nantes, nulle marchandise n'entrait dans les ports bretons. L'empereur avait fait appel au Blavet pour nourrir la Bretagne. On l'avait rendu navigable d'un bout à l'autre de son sinueux parcours et on y avait fait circuler tous les formats de péniches et de gabares grâce à une succession d'écluses. Elles régularisaient le débit et corrigeaient une dénivellation de plusieurs centaines de mètres entre la source et l'estuaire. La circulation maritime entre le cœur de la France et la Bretagne devenait possible et le blocus anglais perdait son étanchéité. Le Blavet, appelé par l'empereur à une mission glorieuse, s'en était montré digne. Pas étonnant, se faisaient dire les petits Bretons, que Pontivy, ville transformée par ce réaménagement du Blavet et qui avait conservé de l'urbanisme impérial plusieurs rues farouchement rectilignes, ait poussé la reconnaissance jusqu'à porter fièrement pendant deux périodes le nom de Napoléonville. Le vieux professeur idéalisait librement le Blavet, car d'autres cours d'eau avaient aussi contribué à la performance napoléonienne, mais son culte n'avait que faire des eaux de l'Oust ou de la Vilaine. Seul importait le Blavet. C'est ce fleuve que Féroc, quarante ans après la leçon, venait interroger sur son débit et ses écluses.

En sortant de sa voiture, il avait hésité un moment sur la direction à prendre. Devant lui, la *Fée du Blavet* était amarrée, somnolente et nostalgique. Octobre ne favorise guère le tourisme, et les croisières du bateau-mouche ne s'effectuaient qu'au profit de groupes organisés. À sa gauche, un pont bombé et une petite route enjambaient le Blavet. La circulation, sentant la fin du jour, s'alanguissait. À droite, à quelques dizaines de mètres à peine, l'écluse de Saint-Nicolas-des-Eaux contestait doucement le calme du soir par le son monotone de son débit continu. Le Blavet aussi s'ensommeillait. Féroc était probablement tout près du lieu de l'agression. Avait-elle eu lieu en amont de la zone éclairée ou plus bas en aval? Si le meurtre avait été commis quelques mètres plus haut, le corps avait dû dériver devant les auberges. Peut-être les réflecteurs avaient-ils brièvement allumé une lueur sur le cadavre porté par le flot. On mange, on boit, se dit Féroc, et la mort emporte son butin sans qu'on en prenne conscience.

S'il marchait vers la droite, vers l'amont du fleuve, la voie piétonnière devenait de plus en plus silencieuse et déserte. Certes, des habitations dominaient le cours d'eau et jetaient jusqu'au centre du fleuve des lueurs tamisées, mais elles s'étaient toutes peureusement protégées des éventuels promeneurs, tous redoutés dans la circonstance comme de dangereux vagabonds. Les résidants avaient pris soin, peur ou souci de leur intimité, de planter et d'étoffer des écrans d'arbres et d'arbustes. Dans la plupart des cas, quiconque eût voulu s'approcher aurait vu se dresser devant lui une clôture métallique derrière laquelle circulaient des molosses aux allures d'ombres menaçantes. En plus de s'isoler en prenant de l'altitude et de se mettre ainsi à l'abri des regards, on s'enfermait dans la méfiance. Féroc en savait trop long sur les méfaits commis dans les propriétés de la région pour blâmer les habitants. Il n'aimait pas ces crispations sécuritaires, mais n'était-ce pas à lui et à ses semblables d'assurer la sécurité? Sa Sophie l'avait souvent entendu exprimer cette ambivalence.

— Tu fais de ton mieux, concluait-elle sagement. Qu'ils fassent leur part.

Féroc revint à ses soucis immédiats. D'un coup d'œil, il fit le bilan. Surtout en fin de journée, un couple de promeneurs pouvait déambuler dans la piétonnière et ne provoquer de loin en loin que l'aboiement d'un chien nerveux ou susceptible. Cette coexistence prudente entre les résidences et la voie piétonnière se prolongeait sur à peu près un kilomètre; ni les résidants ni les flâneurs n'avaient vraiment conscience de la présence des autres. La piétonnière longeait ensuite un petit parc voué pendant le jour à de paisibles et sporadiques activités communautaires. Plus de cheveux blancs que de hurlements juvéniles. Par la suite, la piétonnière retombait dans son calme. On aurait pu y marcher ou circuler à bicyclette jusqu'à Pontivy, soit une bonne vingtaine de kilomètres. Féroc ne s'engagea dans la piétonnière que sur une centaine de mètres, mais les lieux lui revenaient en mémoire et leur succession se déroulait dans sa tête comme un film familier.

En revenant sur ses pas, vers sa voiture, il examina plus attentivement l'écluse de Saint-Nicolas-des-Eaux. La différence de niveau entre les deux plans d'eau de part et d'autre des portes de l'écluse devait tourner autour d'un mètre et demi, peut-être un peu plus. Féroc éprouvait presque le besoin de s'en excuser auprès du professeur de son enfance, mais il était trop peu familier avec la gestion du fleuve pour savoir si le débit moderne de l'eau était réglé par de savantes mesures ou si, en l'absence de péniches ou de demandes particulières, les temps modernes abandonnaient le fleuve à ses caprices. Il avait cru comprendre que le trafic avait diminué sur le Blavet et qu'on utilisait les écluses surtout pour contrer les inondations. De toute façon, sa curiosité ne portait que sur une incertitude: le corps que les kayakistes avaient localisé à proximité de l'écluse suivante avait-il pu passer par-dessus l'écluse, soit dans sa partie fixe, soit dans le segment contrôlé par des portes? Si la force du courant suffisait à faire basculer un cadavre par-dessus l'obstacle et ne limitait pas sa dérive, le meurtre avait pu survenir à peu près n'importe où en amont de cette écluse. La battue n'en finirait pas. Si, par contre, un cadavre ne pouvait franchir une écluse, ni celle-ci ni les autres, cela restreignait le cadre des recherches : le corps aurait alors été jeté à l'eau entre l'écluse de Saint-Nicolas-des-Eaux et la suivante. Le policier ne parvint pas à une conclusion assurée. Il devrait pourtant trancher, car cela changeait tout. Comme on le pressait de conclure au plus tôt, il redouta le verdict des écluses. Il ne pouvait étendre sans fin l'examen des berges.

Il dépassa l'endroit où il avait garé sa voiture et marcha dans l'autre direction, vers l'aval du fleuve. La pénombre s'épaississait. Il lui faudrait revenir de clarté, tôt le lendemain si possible. Ce soir, restaurants et cafés s'intéresseraient trop à sa maraude. Par-delà les deux ou trois centaines de mètres de commerce et d'agitation, la rue, il le savait, redevenait voie piétonnière et retrouvait son calme, comme elle le faisait vers l'amont. Il y avait déjà déambulé avec sa Sophie. Il se souvenait encore de la taille et de la courbure des arbres. Ils se penchaient sur le sentier pédestre comme des ombres bienveillantes et en tapissaient le gravier de leurs feuilles mortes. Et les châtaignes tombaient en les faisant sursauter et formaient sous les pas un tapis que les pluies et les brouillards humides rendaient visqueux. Dans cette partie du tracé, la piétonnière se déroulait à plus grande distance des habitations que dans le segment en amont. Un vaste boisé s'étendait, laissé à sa fantaisie et que ne traversait aucun sentier visible. À moins que le meurtrier n'ait pu convaincre Marie-Françoise de le suivre dans une zone totalement dépourvue d'éclairage, Féroc ne voyait pas pourquoi le meurtrier aurait choisi pour son crime ce décor plus discret, mais moins accessible. À condition, bien sûr, que le meurtrier ait su d'avance quelque chose du décor. Ce qui excluait l'ex-amoureux de Marie-Françoise. De nouveau l'énigme du lieu s'insinuait dans l'analyse: le meurtrier était-il ou non familier de l'endroit? Le lieu du crime constituerait-il une signature?

Dans le souvenir de Féroc, l'écluse suivante surgissait après une des multiples courbes du fleuve à environ deux kilomètres de celle de Saint-Nicolas-des-Eaux. Étrangement, son nom lui était demeuré en mémoire. Il revoyait le panneau qui l'identifiait: *Écluse n° 10 – La Couarde*. Pourquoi ce nom? Il ne l'avait jamais su. C'est à proximité de cette écluse qu'était logée la base de plein air où des jeunes apprenaient les rudiments du kayak. Là que leur initiation les avait mis en présence d'un cadavre flottant sur l'eau.

Il revint à sa voiture, reprit le cours montant de la rue de la Libération. Trois minutes plus tard, il repassait lentement devant la résidence Le Guern. Les visiteurs y affluaient, mais une sorte de recueillement étouffait le bruit que provoque normalement la circulation. Deux kilomètres plus loin, il prit la droite en direction de Pontivy. L'heure était venue de clore cette journée. Pendant qu'il empruntait le prétentieux échangeur qu'on venait de construire pour épargner trente secondes aux conducteurs trépignants, la pensée lui vint: comment réagirait la mère de Marie-Françoise en constatant, à son arrivée, que tous les arrangements funéraires avaient été déterminés par Anne Le Guern, peut-être même le lieu de la sépulture? La mère avait-elle été au moins consultée?

Rendu à domicile, il donna un coup de fil à Pharand pour « se mettre à niveau » quant aux derniers développements. Viviane et Pharand se rencontreraient dans quelques minutes. Malgré les circonstances, Pharand se préparait à poser quelques questions délicates et Féroc devait s'attendre à ce que Viviane débarque toutes griffes sorties. Féroc, fatigué et plus intrigué qu'inquiet, coupa court à la conversation. Le combiné remis sur son socle, Féroc, selon son habitude, s'assit à cheval sur une chaise de la cuisine et résuma la journée à sa Sophie pendant qu'elle lui apprêtait ses encornets préférés.

8

Le lundi 30 septembre

Pharand et Marceau avaient lunché dans un restaurant aux odeurs exotiques au pied de la rue Cartier. Esclaves du « en service », comme ils se le répétaient en mimant les victimes, ils ne s'étaient pas prévalus de la latitude offerte à chacun d'apporter son vin. Ils compenseraient à la prochaine occasion. La clientèle, composée de fonctionnaires et de travailleurs aux horaires serrés, était vivante, joyeuse et agréablement peu bruyante. On mangeait vite en surveillant la montre-bracelet. Les deux policiers arrivaient tard et avaient dû se résigner à manger dans le secteur réservé aux fumeurs. Cela leur avait quand même valu l'une des rares banquettes. Perte sèche pour les poumons, tout profit pour l'intimité de la conversation! Ils ne devaient pas être les seuls non-fumeurs à accepter les contraintes et les avantages de cette coexistence, car une seule petite fumée montait vers le plafond. Les béquilles de Marceau attirèrent brièvement l'attention. Pas facile d'imaginer ce qui avait pu briser un os de cette charpente. Marceau cala ses « prothèses » entre le mur et lui, à l'hypoténuse, puis il roula les épaules et se délia les muscles des mains.

— Que je suis tanné, que je suis tanné! soupira-t-il.

L'Asiatique qui avait surgi silencieusement près de leur table demeura imperturbable. Pharand l'observa en souriant: si le restaurateur avait interprété le commentaire de Marceau comme un reproche, il n'en laissa rien paraître. Le plat principal, chaud, odorant et bon marché, visiblement le favori des habitués, leur arriva d'ailleurs en un instant. Pendant plusieurs minutes, ils se vantèrent mutuellement les légumes et le mode de cuisson qui préservait leur croquant.

— Je t'ai vu parler à Fesse volante. Tu voulais l'avertir qu'on travaillait pour la France?

Leur patron était un chauve intégral dont le sommet du crâne miroitait lorsqu'il passait dans le corridor vitré longeant leur grande salle. Le surnom avait collé de si près à l'individu que plusieurs ne savaient plus son vrai nom. Pharand n'allait pas faire un drame parce que Marceau profitait de sa fracture pour « picosser » encore plus que d'habitude, mais il ne lui abandonnerait pas tout le terrain.

— On ne travaille pas pour la France. On enquête sur le meurtre d'une Québécoise et on cherche un Québécois qui est peut-être l'auteur du crime.

Il remarqua la moue de Marceau. Elle annonçait une autre récrimination. D'urgence, il fallait rasséréner l'adolescent!

— Excuse-moi, Jean-Jacques. Quand je dis qu'on cherche, j'exagère un peu. Avec tes contacts, la recherche est pas mal simplifiée!

— Faut croire que j'ai été à bonne école, mon André.

Ils sirotaient un café qui ne faisait certes pas partie des secrets culinaires de l'Asie. Irrésistiblement, les conversations professionnelles avaient repris sitôt englouti le plat de résistance. Pharand, une fois de plus, se rappela cette sentence fichée dans sa mémoire pour des raisons inconnues, peut-être à cause de son doux cynisme: *l'amitié fondée sur l'entreprise résiste mieux que l'entreprise fondée sur l'amitié*. Dans leur cas, la preuve était concluante: le métier les liait et parvenait à alimenter une amitié constamment menacée par leurs divergences. Les résultats, et ils étaient bons, importaient par-dessus tout. À Pharand d'ignorer les aspérités de Marceau et d'apprécier ses trouvailles.

— Un gars qui tape la gueule de sa blonde, moi j'aimerais ça taper la sienne, déclara Marceau sans transition, comme s'il avait lu les pensées de son équipier et voulait tester sa tolérance. Puis, j'aimerais ça qu'il se plaigne à nos trente-trois comités de discipline. Il réussirait sûrement à en trouver un pour le blanchir et me qualifier de brute épaisse.

Pharand fit dévier le flot. Quand Marceau ne consumait pas son surplus d'énergie en joggant une heure le matin, les moins sympathiques de ses tendances profondes redressaient la tête comme de vilaines orties. Toutes n'auraient pas mérité l'approbation enthousiaste des comités de défense des droits de la personne. Pharand s'efforçait d'évoluer en sens contraire.

— J'espère, fit-il sobrement, que la mère, notre Viviane, sait quelque chose au sujet du « chum » de sa fille. Féroc a besoin d'en savoir davantage avant qu'Henri s'éclipse.

— Ça me surprendrait, riposta Marceau. Quand une fille de vingt ans se prend un appartement, ce n'est pas pour raconter ses amours à maman trois fois par semaine.

Pharand opinait en ce sens, mais il en ignorait trop sur la société française et sur les mœurs bretonnes en particulier pour argumenter longtemps. Il n'aurait pu dire si les différences étaient nulles ou considérables. Il pensait à son arbre généalogique à trois étages sans parvenir à en imaginer les nervures secrètes. À en juger par les imprévisibles virages qu'il observait chez les gens de sa génération, une jeune adulte aussi rebelle que semblait l'avoir été Viviane Le Guern pouvait très bien retourner sa veste en vieillissant et houspiller à son tour sa propre fille de vingt-trois ans. En ne se sentant jamais incohérente ou amnésique.

— Est-ce que je t'ai dit ce que la Viviane en question m'a demandé quand j'ai offert de la conduire à l'aéroport?

Négation.

— Elle m'a demandé si je remplissais une commande de la grand-mère.

Marceau s'esclaffa.

— Ça promet!

— D'un autre côté, la mère savait que sa fille était en Europe. Est-ce qu'elle l'a su par sa fille, je ne sais pas.

Marceau repêcha ses béquilles et se fit glisser jusqu'au bord de la banquette. Il se redressa sur sa jambe droite, tint son plâtre au-dessus du sol et affermit sa prise sur ses prothèses. Il suivit Pharand jusqu'au comptoir où une jeune Asiatique, la seule femme dans le personnel du restaurant, encaissait l'argent et manipulait les cartes de débit ou de crédit. Étrangement, un bocal de bonnes dimensions trônait à côté de la caisse enregistreuse et accueillait les pourboires. Pharand et Marceau le remarquèrent tous deux sans pouvoir porter jugement : partage exemplaire des pourboires entre tous les membres du personnel, serveurs comme plongeurs, ou, au contraire, emprise du propriétaire sur tous les gains? Comment savoir?

— Nous vois-tu enquêter là-dedans? demanda Marceau en sortant de l'établissement. Un Breton, tu sais au moins s'il rit ou s'il pleure. Eux autres...

Pharand ne réagit pas. Il redoutait depuis longtemps que Marceau s'abandonne à ses préjugés de façon trop voyante et se jette dans les ennuis. Le moment était mal choisi pour le sermonner. Ils reprirent le chemin de la centrale de police, Marceau se jurant de réduire à rien le mystère Henri, et Pharand cherchant comment se renseigner sur les amours de Marie-Françoise. Aux yeux de Pharand, la pause avait atteint son objectif : Marceau s'habituait - mais combien lentement! - à tenir compte des différences culturelles. Et Pharand, lui, se faisait rappeler à l'ordre quand il s'illusionnait sur les aspirations des générations plus jeunes.

9

Le lundi 30 septembre

À quinze heures vingt-cinq, Pharand garait sa voiture banalisée dans l'avenue Calixa-Lavallée, face à l'appartement dont Viviane Le Guern lui avait indiqué l'adresse. Son astuce fit long feu : se présenter cinq minutes d'avance ne lui servit à rien. Celle dont il aurait aimé reluquer discrètement le décor familier l'attendait à l'extérieur, petite valise souple à ses pieds. Tant pis pour sa curiosité. Heureusement, la plaque indiquant le numéro d'immeuble qu'il avait noté certifiait qu'elle habitait à l'étage de ce petit édifice semi-détaché. Immeuble bien entretenu, environnement rassurant, bon réseau commercial, présence automobile limitée, voilà qui révélait du goût et certaines ressources. Pas une grosse récolte d'informations, tout juste une mince base pour les supputations. Les présentations furent brèves et cordiales. Bonjour, merci de me conduire à l'aéroport, je vous réitère mes condoléances, merci, allons-y... À peine de quoi « placer les voix ».

— J'ai transmis le numéro de votre vol au policier breton, Yann Féroc, déclara Pharand. On vous attendra à Charles-de-Gaulle.

Pas de réaction.

— Devons-nous avertir des personnes dans l'entourage de votre fille? À moins que vous ne l'ayez déjà fait...

Viviane Le Guern n'hésita guère à offrir la réponse que pressentait Pharand: elle ne savait rien des relations de sa fille et ne se plaignait surtout pas de cette ignorance, insistait-elle. Marceau avait raison: une fille de plus de vingt ans qui s'envole loin du nid maternel va rarement se livrer à sa mère comme à son confessionnal préféré. Cette mère-là, de toute façon, ne paraissait pas consumée par l'amour maternel.

— Je sais que ses études ont été plus que satisfaisantes. Il ne lui restait plus que quelques textes à remettre et elle pouvait choisir entre plusieurs offres d'emploi. Elle avait mérité ses succès.

À quand remonte le décès? calcula Pharand. En quelques heures à peine, cette mère avait appris à conjuguer la vie de sa fille au passé. Pharand nota l'allusion à « plusieurs offres d'emploi ». La mère, qui n'avait sûrement pas lu *Nord-Ouest*, évitait soigneusement de mettre en exergue l'emploi que la grand-mère réservait à sa petite-fille. Pharand avait opté pour le trajet un peu plus long, mais moins brisé par les feux de circulation. Il roulait maintenant sur le boulevard Laurier en direction des ponts et emprunterait Henri-IV jusqu'à l'aéroport. Il n'avait que le temps d'aller à l'essentiel. Au risque de brusquer les choses.

— Qui hérite de votre mère? Est-ce vous?

La question n'avait sa place que dans un

espace clos et à une vitesse interdisant le claquage de portière.

— J'ai quitté la Bretagne parce que je l'ai voulu et on ne me convaincra pas facilement d'y retourner pour de bon. Cela vous suffit-il?

— Pas tout à fait.

— Cherchez-vous mon intérêt dans ce meurtre, monsieur Pharand?

Pharand laissa durer le silence. S'il espérait qu'elle s'empresserait de combler le vide, il attendit vainement. Elle s'entêtait à tourner un masque inexpressif vers la laideur du paysage. Battu à son propre jeu, Pharand se résigna à suppléer la suite.

— Comprenons-nous bien, madame Le Guern. Il semble que des liens particuliers existaient entre votre mère et votre fille. L'entreprise familiale aurait pu aboutir entre les mains de Marie-Françoise. Du moins, c'est ce qu'un quotidien breton dit aujour d'hui en toutes lettres. Cela nous force à poser des questions. Je n'essaie pas de me montrer grossier.

Viviane Le Guern réagit vivement.

— Je croyais être débarrassée de ce panier de crabes et vous m'y replongez.

Un silence se prolongea qui les conduisit jusqu'au carrefour du boulevard Wilfrid-Hamel.

— Je ne fouille pas dans votre passé, madame Le Guern. Je ne sais pas pourquoi vous avez quitté la Bretagne et cela m'intéresse modérément. Je veux simplement savoir si le drame qui a coûté la vie à votre fille est d'ordre strictement sentimental ou si d'autres personnes ou d'autres intérêts ont pu intervenir là-dedans. Il est bien rare qu'un crime ne profite à personne. Je compatis à votre deuil, mais je suis policier.

— Monsieur Pharand, sachez ceci.

On approchait du terminal de l'aéroport Jean-Lesage. Viviane Le Guern n'allait certes pas prolonger la conversation au-delà de l'échéance que marquerait l'arrêt de la voiture.

— J'aurais dû rejeter votre proposition. Je vous en remercie quand même. Que ceci vous suffise. J'ai refait ma vie loin de la Bretagne et je m'en trouve bien. Ma mère est plus gestionnaire que maternelle. Je me rends à Pluméliau parce que je le dois à Marie-Françoise. Pas pour pardonner ni pour réclamer un héritage.

La portière claqua. Viviane Le Guern attrapa sa petite valise sur le siège arrière avant que Pharand ait pu réagir. Machinalement, il remit la voiture en mouvement, déconcerté. C'est le sentiment qu'il essaya de décrire à Féroc quand celui-ci le rejoignit quelques minutes plus tard. À quel nerf avait-il touché inconsciemment pour proposer cette éruption? La hargne exprimée par cette femme élégante était trop fermement formulée pour ne pas avoir sourdement couvé, pour ne pas découler d'un monologue intérieur mené pendant des années. À l'extrémité du long trottoir longeant l'aérogare, il immobilisa de nouveau sa voiture et en descendit. Pénétrant dans l'édifice, il vérifia de loin, sans que Viviane Le Guern l'aperçoive, à quel comptoir elle se présentait. Et il eut une pensée un peu moqueuse pour Féroc: c'est une furie qui débarquerait à Charles-de-Gaulle.

10

Marie-Françoise Le Guern a été assassinée

Pontivy, mardi 1er octobre. - Même si la police est toujours avare d'informations, il ne fait plus de doute que Marie-Françoise Le Guern, 23 ans, a été victime d'un crime et non d'un accident au soir du samedi 28 septembre. Une autopsie sommaire démontre l'absence d'eau dans les poumons, ce qui force à conclure qu'elle était décédée avant d'être abandonnée au courant du Blavet. Marie-Françoise Le Guern, qui était en France depuis le 23 septembre, logeait depuis lors chez sa grand-mère, Anne Le Guern, propriétaire des Produits Le Guern SA. D'autre part, tout indique qu'il s'agit d'un meurtre dûment prémédité, car la victime a été tuée d'un coup extrêmement violent porté à la tête avec un instrument contondant, marteau, pioche ou pied-de-biche. Si le meurtrier avait cédé à une impulsion subite, il n'aurait eu à portée de main qu'une pierre ou un morceau de bois et l'examen du cuir chevelu l'aurait révélé. Les recherches policières se sont concentrées sur le segment du Blavet compris entre l'écluse de Saint-Nicolas-des-Eaux et celle de La Couarde, située à environ deux kilomètres et demi en aval de la première.

De bonne source, nous savons que la police recherche activement un Québécois de 25 ans, Fernand Henri, en rapport avec ce drame. Le jeune homme, ancien amant de la jeune femme, aurait suivi Marie-Françoise Le Guern en Bretagne et l'aurait relancée chez sa grand-mère en exigeant péremptoirement une explication. Les deux jeunes gens auraient convenu d'une rencontre le samedi soir et ils n'ont été revus ni l'un ni l'autre depuis ce moment.

On ignore toujours comment l'entreprise familiale s'ajustera à la situation créée par la disparition de la jeune femme.

La mère de la victime, Viviane Le Guern, qui vit elle-même au Québec depuis nombre d'années, est attendue aujourd'hui à Pluméliau. La dépouille mortelle est exposée à la résidence de madame Anne Le Guern à Pluméliau. Les obsèques seront célébrées à l'église de la localité le jeudi 3 octobre.

Nord-Ouest, section de Pontivy.

11

Le mardi 1er octobre, 6 h 30

Féroc eut peine à se remettre en marche le mardi matin. Sa reddition de comptes à Sophie l'avait convaincu de la pertinence de son doute, mais ses jongleries et peut-être aussi le supplément d'encornets et de muscadet avaient fragilisé son sommeil. Conformément à sa résolution de la veille, il interrogerait un éclusier sur le sort probable d'un cadavre jeté dans le Blavet: un corps pouvait-il, oui ou non, franchir une ou plusieurs écluses? S'il parvenait à délimiter au moins de manière approximative le lieu du meurtre, peut-être un témoin ou un quelconque indice fournirait-il des précisions. À cette partie du programme, il tenait toujours. Il n'avait d'ailleurs pas le choix: si le Blavet autorisait les corps à sauter les écluses, ce n'est pas demain qu'il dirait à son patron où chercher le fameux « instrument contondant ».

Féroc entretenait d'autres raisons d'hésiter. Il croyait connaître sa Bretagne et surtout son Morbihan, mais il ne s'expliquait pas qu'un journaliste puisse tout savoir des moindres détails de l'enquête et en raconter le déroulement comme s'il était depuis le début perché sur son épaule et prévoyait même ses gestes. Anne Le Guern n'avait pas nié sa préférence pour une de ses deux petites-filles, mais elle avait paru étonnée que cela se soit ébruité. Réaction compréhensible si Anne Le Guern n'a livré ce secret qu'à de très rares intimes. Et qui pouvait savoir, à part la famille et la police, que Viviane Le Guern était attendue aujourd'hui même à Pluméliau? Et « l'explication » réclamée par Fernand Henri, qui avait pu en avoir vent? Qui, à part les gens introduits dans la machine policière, pouvait faire état des résultats d'une autopsie? Un élément détonnait tout particulièrement: pourquoi le journaliste insistait-il aussi lourdement sur l'hypothèse d'un meurtre réfléchi et planifié? Lui-même n'aurait pas osé se montrer aussi affirmatif. Il n'avait pas encore éliminé l'hypothèse d'un crime instinctif comme un coup de sang, improvisé, perpétré sous l'influence de la colère, commis avec un instrument disponible dans un garage, un bâtiment de ferme, un coffre de voiture... On ne savait pas encore si le meurtre avait été commis sur la rive du Blavet ou si le corps avait été jeté dans le fleuve après y avoir été transporté. Non seulement le journaliste n'ignorait rien de ce qu'avait recueilli Féroc, mais il concluait l'enquête avant lui avec une assurance déconcertante. Féroc jonglait avec des possibilités; l'autre interceptait une boule et y lisait la vérité. Inconfortable!

Il avait relu à plusieurs reprises les deux articles. Même plume, bien sûr, mais quand même quelque chose de différent dans le ton et, davantage encore, dans les sous-entendus. Plus il relisait le plus récent, plus grandissait son malaise. Il se doutait bien que son patron lui demanderait la source de toutes ces indiscrétions, mais ce n'était pas cela qui le turlupinait. Plusieurs renseignements ne pouvaient provenir que de la famille Le Guern, mais d'autres portaient une autre griffe. Féroc, en plus, se rappelait l'étrange réaction d'Anne Le Guern quand il l'avait interrogée au sujet du journaliste. L'avait-elle identifié avant même de mettre à contribution l'avocat de la famille?

Quand il gara sa voiture banalisée devant l'auberge *Au pays de Josselin*, la rive du Blavet s'était nettoyée des bruits et des bouffées de lumière de la veille au soir. Restaurants et cafés dormaient encore, ensevelis et silencieux sous la brume épaisse. Cette fois, il pourrait déambuler, s'arrêter, examiner le sol sans alimenter la curiosité. Il était à court de temps, cependant, et la tentation le prit d'invoquer ses prérogatives de policier pour rouler en voiture dans la piétonnière jusqu'à l'écluse La Couarde. Il n'y avait ni joggeur ni cycliste en vue et nul n'aurait trouvé à redire. Il résista à ce raccourci. « Tous mes droits, aimait-il à dire, mais rien de plus. » Il se conduirait en mauvais citoyen s'il se permettait sans urgence absolue ce qui était interdit au commun des mortels et en piètre enquêteur s'il bousillait des traces ou ratait des indices. Il lança un pan de son écharpe toutes saisons par-dessus l'épaule, boutonna son coupe-vent et entreprit sa marche. À sept heures, le Blavet, que la piétonnière longeait à deux mètres de distance à peine, échappait presque complètement au regard. La brume, qui avait forcé Féroc à conduire lentement et tous feux allumés de Pontivy à Saint-Nicolas-des-Eaux, gardait encore sa ferme emprise sur le décor. Féroc se fit cette réflexion : un meurtre commis tôt le matin sous ce couvert échapperait à l'attention plus qu'à tout autre moment. Il ne parvenait pourtant pas à imaginer comment le meurtrier aurait pu attendre jusqu'à l'aube pour assommer Marie-Françoise. À moins de l'avoir tuée ailleurs, à l'abri de tous les regards, et d'être venu tôt le matin confier le corps au courant du Blavet. Le toubib pourrait-il trancher?

Si absorbé dans ses calculs qu'il marchait au milieu de la rue sans même en prendre conscience, Féroc faillit se faire heurter par une voiture roulant à sa rencontre et qui déchira subitement le brouillard. Il sauta de côté, remerciant ses jarrets et ses réflexes d'ancien footballeur, et se dirigea d'un pas contrit vers le côté de la route. D'un geste de la main et d'une grimace, il s'excusa auprès du chauffeur et se félicita d'avoir eu affaire à un conducteur plus éveillé que lui. Il le suivit du regard pour voir où diable se rendait ce véhicule matinal. Sa chance continuait : la voiture s'arrêta pile devant l'écluse de Saint-Nicolas et un jeune homme en descendit. L'éclusier! Féroc s'avança vers lui, d'une allure aussi peu agressive que possible.

— Merci! dit-il en tendant la main. Vous m'auriez frappé que je n'aurais pu vous blâmer.

— Je travaille souvent le matin, répondit le jeune homme en indiquant l'écluse de la main. Il n'éprouvait aucun besoin d'expliquer à un Breton à quoi ressemblent les brouillards des premières heures du jour. C'est pire avec les voitures: elles viennent plus vite!

Il allait tourner les talons en direction de l'écluse et renvoyer l'incident dans l'oubli, quand Féroc leva le doigt pour lui demander un instant de plus. Il s'identifia, portefeuille ouvert sur sa photographie.

— C'est vous qui enquêtez sur le meurtre?

— Vous non plus, vous ne croyez pas à un accident?

L'autre fit la moue. Une fois de plus, son geste vers la rive herbeuse fut éloquent: difficile de s'infliger la blessure dont parlaient les médias en tombant d'un mètre ou deux et en glissant dans la boue.

— Ne le prenez pas de travers, fit Féroc en souriant de toutes ses dents, mais je vais vous demander de jouer au meurtrier une seconde.

La tête de guingois, l'œil quand même en alerte, l'éclusier promu (ou déchu) au rang de criminel fit signe qu'il avait vu venir la question. Il se cala sur ses deux jambes écartées et croisa les bras. Peut-être était-ce la pose que la télévision avait popularisée à propos des comportements des experts.

— Un gars pas fou aurait dépassé mon écluse et marché vers l'amont. De l'autre côté de l'écluse, c'est trompeur l'impression qu'on a: c'est plus désert, mais on ne le sait pas parce que c'est moins apeurant. Personne ne peut voir ceux qui marchent dans la piétonnière, mais les promeneurs entendent des bruits, des voix, des jappements. Ça rassure. J'en ai vu qui revenaient en pleine noirceur: ils n'avaient pas vu venir la nuit et s'étaient laissé tromper par les voix. Si le couple s'est promené par là - il montrait l'amont -, le gars avait beau jeu d'assommer la fille et de la jeter dans le fleuve. Puis, il revenait tranquillement.

— J'espère, répliqua Féroc, que vous aimez votre métier d'éclusier, car je n'aime pas les meurtriers trop intelligents!

— Je ne serais jamais capable de faire ça. Je n'ai pas autant d'argent que les Le Guern, mais je n'ai pas leurs problèmes.

Féroc sursauta devant des propos aussi directement liés à ses pensées, puis il se raisonna. Le jeune homme, tout simplement, savait lire sa société aussi bien que son journal. Le policier ne devait pas oublier le but de sa présence à l'écluse.

— Vous avez l'air certain que le cadavre a pu passer par-dessus l'écluse de Saint-Nicolas...

Nouvelle moue. Endossée cette fois par un geste à l'italienne: les deux paumes ouvertes et tournées vers le ciel.

— J'ai vu assez de choses culbuter en bas de l'écluse que je ne me pose même pas la question. Mon seul doute, ce serait à propos des vêtements. Un manteau, une canadienne, une écharpe, ça peut toujours rester pris et empêcher le corps de suivre le courant. J'ai vérifié et je n'ai rien vu.

Nouvelle poignée de main. Féroc revint lentement vers sa voiture. Il la dépassa et donna suite machinalement à son projet initial de marcher jusqu'à l'écluse suivante, celle de La Couarde, et de longer ainsi la boucle du Blavet où les kayakistes en apprentissage avaient eu la plus désagréable surprise de leur jeune vie. L'éclusier avait probablement, non, très probablement raison, mais Féroc devait admettre que lui-même aurait opiné en sens inverse. L'équipe qui avait examiné les lieux au cours de la journée du lundi avait-elle commis la même erreur?

Un instant plus tard, Féroc se secoua: il se laissait emporter par les supputations et oubliait d'examiner le sol. Il n'avait encore parcouru qu'une centaine de mètres qu'il s'adressait un double reproche: il s'abandonnait à ses scénarios et il s'attribuait la compétence d'un chien pisteur. Il s'arrêta un instant et dégaina son portable. À Pontivy, la permanence reçut et nota ses instructions: localiser le maître de chien, mettre à sa disposition un vêtement de Marie-Françoise, l'inviter à téléphoner à Féroc au plus tôt. De fait, le responsable du chenil rappela dans la minute, la voix comme un fil barbelé.

— Yann, qu'est-ce que tu penses qu'on a fait hier? Mon Rex est encore mouillé tellement il a barboté dans le Blavet!

Féroc connaissait son taupin de Plougastel et sa tendance à battre en boursouflure n'importe quel Méridional.

— Ton Rex est plus vaillant que toi et il ne demande pas d'heures supplémentaires, lui...

L'autre pouvait sans doute compter sur une

épouse prévenante, car, quand il reprit la parole, la voix avait bénéficié d'une première gorgée de café.

— Écoute, Yann, je peux être là dans vingt ou vingt-cinq minutes avec un chien presque sec, mais on perd notre temps.

Féroc était ébranlé. Clovis râlait comme d'autres sifflent, mais il savait ratisser un terrain avec les scrupules d'une première communiante qui aurait échappé un ruban. Et Rex, un fringant labrador qui rêvait si jouissivement d'aventures aquatiques qu'il en égratignait le sol, n'avait pas son pareil comme bon pif.

— Donne-moi une information, Clovis. Si c'est la bonne, je te laisse dormir un autre quart d'heure. Est-ce que tu as conduit Rex en amont de l'écluse de Saint-Nicolas?

— Qu'est-ce que ça aurait donné? Le corps flottait entre les deux écluses. Si le bonhomme a tué la fille d'un coup de masse et l'a jetée dans le fleuve, c'était forcément en bas de l'écluse de Saint-Nicolas et en haut de l'autre. On a cherché partout entre les deux écluses. Jamais le corps n'aurait sauté par-dessus l'écluse!

— Je pensais la même chose que toi, Clovis. L'éclusier vient de me dire le contraire et je ne lui ai pas demandé combien de troncs d'arbres ont basculé sous ses yeux depuis qu'il regarde les écluses. Finis ton café et amène-toi.

Féroc ne voyait plus la nécessité de sa promenade. À chacun son métier et le pedigree de Rex affichait de bien meilleures qualifications que les siennes pour la tâche qui s'imposait. En revanche, il y en avait une qu'il ne pouvait déléguer à personne : savoir si Viviane Le Guern avait réservé une chambre hors de la résidence familiale. De ce qu'il exhumait lui-même de sa jeunesse et de ce que Pharand y avait greffé, il avait déduit que l'affection ne passait qu'au compte-gouttes entre Anne Le Guern et sa fille. Viviane Le Guern, en fille du pays, avait grandi dans les parages et elle trouverait d'instinct une chambre à proximité. Il avait d'ailleurs une assez bonne idée de ses préférences. Il l'avait déjà constaté, les quelques auberges qui longeaient le Blavet en face du quai où s'ennuyait le bateau-mouche ne bourdonnaient pas d'activité à cette heure matinale et surtout pas en ces semaines peu propices au tourisme. Sa petite vérification s'en trouverait simplifiée. En revanche, le risque était accru que la rumeur publique le suive à la trace plus facilement.

Dès sa première visite, son intuition se confirma : Viviane Le Guern n'avait pas demandé l'hospitalité à sa mère. Peut-être même avait-elle refusé le gîte qu'on avait dû lui offrir. Anne Le Guern n'avait sans doute pas apprécié la réticence, d'autant moins que la rumeur publique répéterait bientôt qu'aucun armistice n'était intervenu entre les deux générations. La patronne de l'auberge, basse sur pattes, les flancs débordant généreusement du siège haut et sans bras sur lequel elle osait se percher, le reconnut dès la porte.

— Bonjour, monsieur Féroc, fit-elle en lui tendant la main sans remuer sa masse plus que ne l'aurait fait une reine douairière. Je compte sur vous pour nous débarrasser du monstre qui fait peur aux touristes.

— Nous faisons de notre mieux, croyez-moi. Mais votre hôtel n'est quand même pas désert. À ce temps-ci de l'année, deux ou trois journalistes, ça peut aider au commerce, non?

Fine mouche, elle hésita. Que savait-il et que pouvait-elle dissimuler? Elle tenait à garder de bonnes relations avec la police.

— Jusqu'à maintenant, il n'y en a pas beaucoup. Du monde de chez nous, c'est tout. Personne de Paris et à peine un ou deux curieux de Rennes. Pourtant, avec la télévision, ils ont besoin d'images.

Féroc n'était pas venu l'interroger sur la sociologie des communications. Il bifurqua avant de laisser trop de traces.

— Est-ce que par hasard Viviane Le Guern a pris pension chez vous? Il va y avoir tellement de monde chez sa mère...

— Vous devez avoir de bons contacts au ciel ou en enfer, monsieur Féroc. Elle vient de téléphoner. Elle pense arriver vers midi. Je ne sais pas si je vais la reconnaître. Ça fait si longtemps. Aimeriez-vous lui laisser un message?

Du geste, elle attirait l'œil sur le tableau quadrillé en casiers numérotés. Elle ne tenait pas particulièrement à le renseigner, mais elle jugeait prudent de se prémunir contre les suites de l'enquête. Tôt ou tard, Féroc reviendrait rencontrer la jeune madame Le Guern. Aussitôt renseigné, il ferait reproche à l'aubergiste d'avoir finassé avec lui. Le large geste vers les casiers se voulait une assurance contre les soupçons tardifs. Comme on l'invitait à regarder sans vraiment le prier de le faire, Féroc examina la dizaine de cases représentant les chambres. Deux ou trois, sans doute celles dont les occupants dormaient encore, n'avaient pas de clé accrochée au clou. Dans un casier encore pourvu de sa clé, une feuille de papier pliée attendait. L'aubergiste sentit sur elle le regard insistant de Féroc.

– Monsieur Kervarec.

– Merci, fit Féroc. Je l'aurais parié.

C'était faux, bien sûr, mais mentir à une farceuse, ce n'est pas un vrai mensonge. À l'extérieur, le soleil effilochait le brouillard. Dans un instant, il en boirait les lambeaux. Féroc se rapprocha de sa voiture et attendit Clovis et son chien très probablement assez sec. Les deux personnes qu'il venait de rencontrer, l'éclusier et l'hôtelière, en savaient plus long que lui sur le clan Le Guern.

12

Le mardi 1er octobre, 16 h

— Tu devais quand même avoir une raison pour garrocher une histoire d'héritage à une mère dont la fille vient de se faire tuer? Même moi, ça m'aurait gêné de couper les coins comme ça. Tu as dû improviser parce que tu n'en parlais pas hier.

Pharand fait face à la musique. Marceau, avec le passage du temps, la mèche d'autant plus courte qu'il fulmine contre sa fracture, joue de plus en plus dur avec son collègue. Il conteste maintenant les théories qu'il gobait admirativement au début de leurs enquêtes communes. Il les accuse parfois de transformer en savants calculs ce qui n'était peut-être au départ qu'une intuition fugitive ou une bouffée d'impatience. De plus en plus fréquemment, il exige de Pharand qu'il justifie ce qu'il appelle ses « télétransportations ». Pharand ne réussit pas toujours l'examen.

Ils se sont retrouvés à la cantine de la station de police il y a quelques minutes. Ils ont regagné leur bureau l'un derrière l'autre, les deux cafés tremblant dans les mains de Pharand pendant que Marceau jouait du derrière pour faire accepter aux portes le passage de ses béquilles.

— Est-ce que j'ai manqué quelque chose? insista Marceau dès qu'ils furent assis. Est-ce que c'est ton pote qui t'a aiguillé sur l'héritage?

— C'est plutôt le contraire, répondit Pharand. Personne ne parle d'héritage, mais moi je m'attendais à voir des yeux s'allumer dans toute la Bretagne. On parle des riches Le Guern et puis on fait semblant qu'il n'y a pas d'héritage.

— Tu oublies la grand-gueule de ton canard breton. Lui ne se gêne pas pour semer le désordre dans la descendance. J'imagine qu'il doit y avoir aussi des concurrents qui veulent une tranche du menhir.

— Tu as raison, mais je dis la même chose, répliqua Pharand. Cela prouve justement qu'il y a des gros appétits qui s'aiguisent les dents. J'essaie de les voir venir, c'est tout.

— Et tu penses que la mère a les dents longues? D'après ce que tu me rapportes, elle t'a pourtant envoyé sur les fleurs avant même que tu lui balances le mot « pognon ». En tout cas, moi, si je sentais l'odeur d'un héritage, je ne commencerais pas par mettre l'Atlantique entre lui et moi. C'est ce qu'elle a fait et, d'après ce que tu me dis, elle a l'intention de remettre l'océan entre elle et la Bretagne au plus sacrant. Alors, ne charrie pas. Je te connais, André: il y a eu un déclic dans ta caboche de flic paranoïaque. Pourquoi elle?

Sans s'en rendre compte, Marceau avait forcé Pharand à préciser et à tisonner ses impressions. Pharand aurait apprécié que son collègue y mette les formes, mais, sur le fond, il lui donnait raison.

— Des détails. Quand je suis arrivé chez elle, sur Calixa-Lavallée, elle m'attendait à l'extérieur. Comme si elle n'avait pas voulu que je puisse jeter un coup d'œil sur son intérieur.

— Pas fort comme argument, jugea Marceau.

Pharand enchaîna sans protester. Marceau n'était pas là quand l'intuition avait été distribuée.

— Mais ce qui était frappant, c'était l'élégance de madame. Je ne suis pas un expert, mais la coiffure, le tailleur, les bottillons italiens, les bijoux, même la valise, tout cela, d'après moi, a dû coûter un bras. Peut-être la grand-mère lui a-t-elle dit de ne pas regarder à la dépense, mais Viviane Le Guern n'a pas eu le temps de s'acheter tout ça pour l'occasion: c'est lundi et elle était à son appartement ce matin. Donc, ce ne sont pas des achats de dernière minute ni des cadeaux de la grand-mère. Madame a de la classe et madame aime le luxe.

— Pas de noir?

— Non. Beige ou ocre, mais pas noir.

— Et tu en conclus que...?

— Je me pose deux questions. Veut-elle agresser sa mère en s'habillant autrement qu'une Bretonne en deuil? Mais surtout d'où vient l'argent pour payer la fortune qu'elle porte sur le dos? La couleur des vêtements ne veut peut-être pas dire grand-chose, si le chauffeur l'attend à Charles-de-Gaulle avec l'uniforme des enterrements, mais le luxe de madame, ça, ça me taquine.

Marceau hocha la tête. L'argument était un peu meilleur. Viviane Le Guern vivait dans un appartement inscrit à son nom, mais cela ne signifiait pas nécessairement qu'aucun homme ne l'aidait à en assumer les frais. Son emploi? Marceau n'en savait pas plus que Pharand. D'après les notions imprécises de Féroc, Viviane Le Guern avait étudié la culture bretonne traditionnelle et elle semblait poursuivre des recherches dans les mêmes eaux; rien pour provoquer les enrichissements spectaculaires.

— Et puis, ajouta Pharand, madame voyage en première classe. J'ai vérifié.

Retour à la case départ : peut-être la réservation avait-elle été effectuée depuis la Bretagne aux frais de la grand-mère. Peut-être aussi la compagnie aérienne avait-elle été avisée des circonstances de ce départ subit et voulait-elle faire un geste. Pharand doutait qu'il s'agisse d'une décision de la grand-mère. Viviane le Guern émettait des flammèches incandescentes dès l'instant où l'on évoquait sa mère. En plus, elle s'occupait elle-même ce matin de la connexion entre Québec et Dorval, ce qui laissait entendre qu'elle se réservait au moins un peu d'initiative. Jusqu'à preuve du contraire, les ressources financières de Viviane Le Guern méritaient l'attention. D'où l'intérêt de Pharand pour l'héritage. Marceau ruminait la question et, le café à portée de la main, prenait des notes.

— Et toi? demanda Pharand. Est-ce que ta clientèle est plus intéressante que la mienne? Au moins, avec une morte et un absent, tu cours moins de risques de te faire enguirlander. Avant que je recommence à jouer au taxi...

Marceau, étonnamment, en avait presque aussi

long à dire sur la défunte que sur l'oiseau voyageur qui avait relancé la jeune fille en Bretagne.

— Une vraie pitié! À l'Université Laval, que des éloges et des éloges au sujet de la brillante Marie-Françoise, expliqua Marceau en énervant les feuilles de son éternel carnet. Sens des affaires, rigueur dans l'analyse, capacité exceptionnelle de décision, clarté des conclusions. Jolie femme, me dit-on, mais pas de différence entre les commentaires des profs mâles et ceux des profs femelles. Elle est numéro un pour tout le monde. On aurait aimé qu'elle axe ses travaux pratiques sur la gestion d'entreprises nord-américaines, mais ses professeurs disent tous la même chose : c'est le marché breton et français qui l'intéressait. J'imagine que tu n'as pas besoin d'un dessin.

— Comment faisait-elle pour la documentation?

Question intelligente, monsieur Pharand, mais que le talentueux Marceau avait évidemment prévue! La main de la grand-mère se manifestait là aussi. Marie-Françoise avait accès à tous les bilans de l'entreprise familiale, aux procès-verbaux des conseils d'administration, aux organigrammes, aux études de marché. Marceau en devenait hésitant dans sa lecture, tant les termes techniques y surabondaient. En plus, la demoiselle se rendait en France au moins une fois par année et revenait avec des entrevues étoffées, quand ce n'était pas la liste des acquisitions envisagées ou des sous-produits en voie d'élaboration.

— Un prof m'a dit : « Cette fille-là m'en a

appris plus que je ne lui en ai donné. Elle prenait mes théories et les appliquait à un milieu que je ne connais pas. C'était fascinant. » Qu'est-ce qui te fait sursauter?

Pharand écoutait, mais son regard était devenu soucieux.

– Je me demandais comment le journaliste breton avait obtenu son tuyau sur le lien entre la grand-mère et Marie-Françoise. D'après ce que tu me dis, il n'y avait rien de secret là-dedans: si Marie-Françoise se promenait en Bretagne avec les bilans et posait des questions pointues aux cadres de la compagnie et aux employés, il aurait fallu être sourd et aveugle pour ne pas voir qu'Anne Le Guern préparait Marie-Françoise à prendre la relève. Alors?

Ni l'un ni l'autre n'a d'explication. Nouveau rappel un peu désabusé dans le carnet de Pharand, mais aussi dans celui de Marceau: que tirer des articles du *Nord-Ouest*? Les deux policiers en tombent d'accord, les questions que pose ce journaliste vicieux n'auraient leur place que dans un journal particulièrement malfaisant. Ça ne correspond pas au registre habituel du journal. Féroc aussi s'étonne, en plus d'être profondément scandalisé. Chose certaine, le désir d'informer le public ne semble pas la priorité. Le journaliste est-il un parent frustré? Est-il téléguidé? Par qui? Pire encore?

– Et notre copain Henri?

– Je t'ai dit que je ne pouvais pas abuser de mes contacts irremplaçables. Je n'ai donc pas demandé s'il avait pris du vin avec son dernier repas ni s'il payait son journal par carte de crédit. Une chose est claire : il continue à tourner autour de Pluméliau et de Saint-Nicolas-des-Eaux. Moi, je m'attendais à ce qu'il file à Paris et rentre au Québec par un vol supersonique. Mais non, coucher comme je te l'ai dit au Mans, puis retour en arrière vers la Bretagne, arrêt et coucher à Rennes. Bizarre. À Rennes, Internet me dit que le bonhomme est à une heure et quart de Pluméliau. Ce gars-là aurait dans l'idée de retourner plaider sa cause encore une fois qu'il n'agirait pas autrement.

Pharand prit le temps de décortiquer les implications de l'hypothèse.

— Il n'aurait pas lu le journal?

— Si c'est comme ça, monsieur Pharand, il n'est peut-être pas coupable!

Les deux se calèrent au fond de leurs chaises. Marceau semblait presque peiné : Henri lui paraissait, en effet, le coupable parfait et parfaitement détestable. Pharand modifia l'atmosphère d'un seul coup :

— Il peut rôder autour pour d'autres raisons. Ne me demande pas lesquelles.

Du coup, la méfiance était revenue en force. D'autant plus qu'Henri n'avait laissé dans son sillage que crispations et rancunes.

— Ton copain fera bien ce qu'il voudra, fit Marceau, mais, à sa place, je lui planterais le grappin dans l'omoplate. C'est un geste qu'ils doivent avoir dans le bras là-bas! Et je le confesserais au plus coupant pendant qu'il est loin de son papa et qu'il est privé des avocats que papa lui colle aux fesses.

— D'accord là-dessus, mais c'est toi qui décides : tu envoies un courriel à Féroc ou tu lui téléphones et c'est toi qui lui dis où Henri est allé « déjeuner » ce midi. S'il peut l'arrêter là-bas, c'est fini pour nous. Quand la mère reviendra, elle s'occupera des affaires de Marie-Françoise. Si Féroc échappe notre bonhomme, qu'il nous avertisse : on lui déroulera le tapis rouge à ce bout-ci. Si tu veux faire cela tout de suite, je te donne le numéro de Féroc chez lui : calcule six heures plus tard pour eux.

Deux minutes plus tard, Marceau lançait à Pharand des signaux de sémaphore pour le presser de se joindre à la conversation. C'était Féroc. L'échange continua à trois.

— J'ai dit merci à ton collègue, André, mais il me fait suer. Il est à l'autre bout du monde, mais il s'amuse à me montrer qu'il y a une arête dans mon poisson! C'est la quatrième fois aujourd'hui qu'on me donne des détails sur le patelin que je suis censé connaître comme la largeur de mon lit.

Marceau rigolait aussi bruyamment que possible. Signe de grande fierté. Féroc enchaîna.

— L'avis de recherche était prêt, il part à l'instant et vous faites partie des destinataires. C'est une précaution au cas où il se faufilerait hors de France. Mais il y a une chose que je tenais à vous dire. J'imagine, André, que tu as déjà expliqué un peu la tribu Le Guern à ton jeune surdoué et qu'il n'aura pas de difficulté à suivre.

— Je vais faire de mon mieux, promit Marceau sans la moindre trace d'humilité dans la voix.

Toujours précautionneux, Marceau avait déjà reproduit dans son calepin l'essentiel de l'arbre généalogique des Le Guern. Il le retrouva en quelques bruissements de papier.

— Voici, fit Féroc. Je suis complètement mystifié, je ne vous le cache ni à l'un ni à l'autre. Dans notre coin du Morbihan, il y a deux grandes entreprises rivales: la tribu Le Guern, que vous commencez à connaître, et le clan Kervarec, qui est dirigé par un costaud qui a vingt bonnes années de moins qu'Anne Le Guern. Les deux clans s'affrontent et jouent dur depuis des siècles. Kervarec a essayé d'acheter les Produits Le Guern quand Nicodème, le mari d'Anne Le Guern, est mort, mais il s'est cassé les dents. C'est tout juste si Anne Le Guern ne l'a pas provoqué en duel. Les dernières personnes que je m'attendrais à trouver ensemble, c'est Anne Le Guern et Loïc Kervarec. Jusque-là, ça va?

Ça allait.

— Alors, tenez-vous bien. Hier soir, je sors de la maison d'Anne Le Guern et je croise dans le stationnement de sa résidence nul autre que Loïc Kervarec. C'était un peu avant l'heure des visites de condoléances. Ce matin, je passe à une auberge de Saint-Nicolas-des-Eaux pour vérifier si la fille Viviane ne logerait pas là au lieu d'aller chez sa mère. Avec ce que je savais, je ne voyais pas la grand-mère et sa fille Viviane se servir une petite camomille avant de se faire la bise et d'aller faire dodo dans deux chambres voisines. À l'auberge, pas de surprise: oui, Viviane a réservé une chambre et elle s'en vient. Mais j'apprends aussi que le même Loïc Kervarec est passé avant moi et qu'il a laissé un message et un numéro de téléphone à l'intention de Viviane Le Guern. Kervarec qui parle avec la grand-mère le soir et qui écrit à la fille le lendemain matin, c'est beaucoup! Et j'ai l'air d'être le seul à ne pas comprendre.

— Monsieur Féroc, dites-moi si j'ai mal compris. L'ennemi public numéro un des Le Guern, vous l'avez vu à la porte de la grand-mère hier soir et il laisse un billet doux à la fille ce matin. C'est à peu près ça?

— Je n'ai pas parlé de billet doux, mais, oui, il a laissé un message à l'intention de Viviane Le Guern. Je vous transmets l'information, mais ne me demandez pas ce qu'elle signifie. Je vous transmets une autre information que je ne peux pas non plus calibrer précisément : nous avons trouvé sur le bord du Blavet ce qui doit être l'arme du crime. Un truc à attendrir une tête de Breton, si vous voyez ce que je veux dire. Je vous en dirai davantage quand le labo aura planché sur l'outil. On se reparle.

13

Le mardi 1er octobre

Pharand et Marceau se regardèrent. Tous deux gardaient encore la main sur l'appareil téléphonique comme s'il leur fournissait l'assurance qu'ils n'avaient pas déliré. Puis, Marceau cueillit ses béquilles et vint s'affaler en face du pupitre de Pharand.

— Correct ton copain, fit-il en levant vers le ciel un pouce admiratif. Il ne parle pas pointu et il arrête sa carriole dès qu'il est rendu. Et puis, ça avance, ses affaires!

Venant de lui, l'hommage ainsi rendu à un Français méritait de s'inscrire dans les annales.

— Comme je le connais, déclara Pharand, il ne nous a pas raconté ses découvertes seulement pour se faire du bien. Il est vraiment déconcerté. Moi, c'est surtout Kervarec qui me mystifie là-dedans. Yann doit rattacher ça au meurtre d'une manière ou d'une autre. Il a vu un lien. J'en vois un moi aussi, mais je trouve ça un peu gros.

— Je ne sais pas si on a pensé la même chose tous les deux. Dans ma tête, c'est clair que son Ker-quelque-chose doit se tordre de rire en voyant que la grand-mère perd celle qu'elle se préparait comme remplaçante. La madame est forcément en pièces détachées et c'est tentant pour un salopard d'aller faire une offre d'achat à côté du cercueil. Les croque-morts connaissent le truc : une personne qui pleure, on peut lui faire acheter n'importe quelle boîte. « Il a tellement travaillé qu'il mérite la plus chère. » Tu connais la chanson. Ker-youp-youp appartient peut-être à cette race de monde.

— Et le message à Viviane?

— Une façon d'augmenter la pression. Si la Viviane que tu as rencontrée déteste sa mère autant que tu le dis, elle est peut-être bien contente elle aussi de la voir le dos au mur. C'est peut-être à ça qu'elle pensait quand elle t'a dit qu'elle ne s'en allait pas en Bretagne pour ramasser un héritage.

— Ni pour pardonner, précisa Pharand.

— Ah! celle-là, admit Marceau, elle me laisse les culottes à terre. Une vieille chicane, j'imagine.

Marceau eut soudain un sourire carnassier. D'un geste, Pharand l'invita à lancer son venin.

— Tu ne l'aimeras pas, André, mais Ker-truc te ressemble peut-être.

Silence de Pharand.

— L'héritage, voyons! Ça l'intéresse comme toi! Il veut peut-être savoir avec qui il doit négocier : avec la grand-mère ou avec sa fille.

Ils se regardèrent un instant en silence, avant de hocher la tête avec un parfait ensemble. Sur ce thème, ils étaient tous deux capables d'échafauder bien des scénarios.

— D'accord avec toi, fit Pharand, même si l'autre n'avait rien précisé. On peut se poser des questions sur Kervarec. Je ne connais pas l'individu, mais il n'a pas l'air de s'encombrer de scrupules. Jusqu'à preuve du contraire, notre Henri fait un bon suspect. Mais si jamais il nous sert une bonne histoire, Féroc aura peut-être un produit breton comme solution de rechange. Mais le Kervarec m'a l'air d'un gros morceau.

— Féroc nous parlait peut-être pour s'encourager lui-même. Il ne doit pas avoir le goût de s'attaquer à un pit-bull.

— Je ne peux pas m'empêcher de repenser à la crisette que la Viviane m'a faite, dit Pharand. J'admets que j'ai été carré, mais sa réaction allait trop loin. Féroc va peut-être réussir à m'expliquer pourquoi elle est sortie de ses gonds.

— Ni héritage ni pardon, répéta Marceau. Pour sortir des phrases comme ça, il faut vraiment haïr quelqu'un pendant des siècles...

L'après-midi s'achevait et ils pataugeaient. Quand une enquête se perd en supputations comme la leur tendait à le faire, mieux vaut, ils le savaient tous les deux, se taire et s'absorber humblement dans la routine. Féroc avait les coordonnées personnelles de Pharand et il n'hésiterait pas à le réveiller en pleine nuit si jamais Fernand Henri était intercepté à l'aéroport. Nul doute qu'il faudrait alors transmettre à Féroc un supplément d'information sur l'individu: dans l'espoir de le faire craquer au premier interrogatoire! Marceau, qui logeait les batteurs de femmes en excellente place dans ses détestations viscérales, s'en léchait les babines.

— On prépare tout et on expédie le dossier complet par Internet, fit Pharand. Féroc verra si les conneries d'Henri peuvent servir à le déstabiliser au cours de l'interrogatoire. Je vais essayer de ne pas te déranger cette nuit, mais je ne promets rien.

Marceau avait à peine happé ses béquilles que le téléphone s'agita sur le bureau de Pharand. C'était de nouveau Féroc. Marceau, à l'invitation de Pharand, sautilla à cloche-pied jusqu'à sa chaise et se mit à l'écoute lui aussi.

— On a retracé Henri, dit Féroc. On ne l'a pas vu, mais il a activé son billet pour Montréal. Le vol quitte Charles-de-Gaulle à neuf heures cinquante demain matin. J'essaie d'obtenir le mandat d'arrestation pour le cueillir à l'aéroport, mais la bureaucratie se traîne les savates. Surveillez donc votre bout. Je vous transmets par e-mail une demande officielle de collaboration au cas où votre bureaucratie ressemblerait à la nôtre. Je suis à la maison pour les prochaines heures. Salut à vous deux.

Le programme se dessinait de lui-même et le rassurant travail de routine se substituait aux élucubrations dans lesquelles ils s'égaraient. Tout ce qui concernait Fernand Henri devenait prioritaire. Marceau ne voyait pas de difficultés là-dedans. Il avait recueilli pièces et copies de pièces et tout partirait pour Pontivy dans la minute. Pharand, quant à lui, poursuivrait sur sa lancée : il tenterait discrètement d'en savoir plus long sur Viviane Le Guern. Retour au concret.

— D'après moi, l'élégante Viviane t'est tombée dans l'œil, se moqua Marceau. En plus, c'est un beau prénom, Viviane.

— Je suis prudent. Je veux vérifier si elle a assez d'argent pour mes goûts dispendieux, riposta Pharand.

Il regarda sa montre.

— J'aurais voulu jeter quelques hameçons du côté de son propriétaire et de sa banque ou de sa caisse populaire, mais je n'ai pas grand chance de parler à un vivant à cette heure-ci. Prix du loyer. Durée du bail. Chèques remis d'avance. Si possible, les entrées de fonds dans le compte personnel et leur provenance. Je commence à sentir une petite odeur de fric dans notre affaire et tout cela peut servir.

— Notre Fernand Henri n'est pas pauvre lui non plus, ajouta Marceau.

Un silence s'insinua et dura. Ils se retenaient tous les deux pour ne pas sombrer de nouveau dans les jongleries. Pharand rayait une à une les notes inscrites dans son aide-mémoire en les identifiant à haute voix. Cela donnait à la conversation une allure complètement échevelée, mais Marceau suivait la démarche sans peine aucune et modifiait lui-même son pense-bête en conséquence.

— Si jamais tu piges le jeu de Kervarec, tu me le diras, poursuivit Pharand en suspendant sa litanie. Je vais prendre quelques précautions par téléphone, puis, comme dirait notre ami Féroc, je vais me pieuter le plus tôt possible. Avec le damné décalage entre la Bretagne et ici, demain va venir vite, surtout s'il faut cueillir Henri à Dorval. S'il part de Charles-de-Gaulle avant dix heures, il va nous arriver entre midi et une heure.

— Est-ce que les chapeaux vont aimer qu'on intervienne à Dorval?

À cause de leurs photos pour consommation touristique en uniforme rouge et chapeau circulaire, les policiers de la Gendarmerie royale avaient droit à ce surnom vestimentaire.

— C'est ça que j'appelle mes précautions. J'avertis la GRC pour qu'on nous accompagne et qu'on nous couvre du côté de la police de Montréal. Je veux aussi sensibiliser notre prudent procureur : le père d'Henri va évidemment placer un avocat sur orbite si jamais son fils bien-aimé tombe entre nos mains. De ce côté-là, je ne m'attends pas à des problèmes. Une accusation de meurtre, ce n'est quand même pas comme la possession de dix grammes de mari.

— Après tout ce qu'on m'a dit au sujet d'Henri, déclara Marceau, j'ai quasiment hâte de lui voir la binette.

— Tant mieux si ça t'amuse, répliqua Pharand.

14

Le mardi 1er octobre, 8 h

Féroc avait préféré ne pas raconter par le menu la recherche de l'arme du crime aux Québécois. Les détails y auraient pris trop d'importance. Clovis et Rex, son labrador presque amphibie, s'étaient mis en chasse en amont de l'écluse de Saint-Nicolas-des-Eaux. Si Rex, contrairement aux prétentions de son maître, était sec à l'arrivée, il était mouillé et boueux l'instant suivant et visiblement heureux de renouer avec l'eau et l'herbe humide. Mieux valait d'ailleurs se tenir à distance quand il s'adonnait à d'éclaboussants exercices d'essorage chaque fois qu'il sortait de l'eau. La truffe au sol ou en bordure du fleuve, l'animal humait chaque brindille comme s'il y allait de son entrée au paradis des chiens. Périodiquement, Clovis le rappelait à lui, lui grattait le crâne et l'arrière des oreilles et lui remettait le museau dans le sac de plastique contenant un sous-vêtement de Marie-Françoise. Féroc s'était déjà fait dire que les odeurs y étaient plus vives et mieux préservées; il n'avait plus posé de questions.

Deux ou trois cents mètres de ce régime et Rex tomba en arrêt. Un instant figé, une patte avant vaniteusement suspendue comme s'il posait pour la photo du parfait petit pointer de bonne tradition, il s'avança ensuite à pas mesurés vers une tache blanche qu'il pointa du museau en attendant les instructions. Les policiers imitèrent sa prudence. Clovis leva les yeux vers Féroc qui donna silencieusement son acquiescement. Clovis sortit alors du sac qu'il portait en bandoulière un sac de plastique et une mince paire de pincettes. D'un léger coup de poignet, il força la petite pièce de tissu blanc à se déplier: un mouchoir à la bordure dentelée. Quand Clovis éleva le morceau de tissu à la hauteur de leurs yeux, ils eurent tous deux la même réaction: un des coins portait des initiales brodées. Elles ne seraient lisibles qu'une fois le mouchoir séché et examiné à la loupe, mais, déjà, on pouvait entrevoir quatre points minuscules. Clovis gratta de nouveau le crâne de son chien qui ne voyait pas ce qu'il avait accompli d'extraordinaire et qui se promettait probablement de faire encore mieux.

— Je t'en dois une, Yann. Celle-là, je l'avais ratée.

— Si l'éclusier est là quand on repassera tout à l'heure, tu lui diras merci pour nous deux. C'est lui qui m'a rendu intelligent.

Clovis colla son chien à sa cuisse et attendit. Devant eux, le Blavet glissait mornement. Là où Rex avait barboté un peu par devoir et beaucoup par plaisir, l'eau s'était brouillée. La différence entre l'amont et l'aval sautait aux yeux: le brouillage se dissipait à mesure que le flot renouvelait l'eau et la rendait de nouveau presque transparente. En quelques minutes, l'eau plus claire emporterait toute trace du passage de Rex.

— Surveille ici en attendant que ça se nettoie, suggéra Clovis. Je vais amener Rex un peu plus loin pour voir s'il n'y a pas un sentier ou un passage vers la corniche. Le couple a dû venir jusqu'ici par la piétonnière, mais il ne doit pas rester grand-chose des traces. Si le meurtrier est reparti seul, il s'est peut-être arrangé pour ne pas revenir par le même chemin.

Mon Clovis essaie de se montrer créatif, se dit Féroc en lui-même. Il comprenait la réaction : aucun professionnel n'aime être pris en défaut, Clovis pas plus que ses pareils. Féroc pensait toutefois à autre chose. Les chances étaient minces, mais peut-être valait-il la peine de demander à l'éclusier qu'il examine de plus près les aspérités de l'écluse. Puis, il se ravisa. À quoi bon chercher un morceau de laine puisque la preuve était faite que le cadavre avait franchi l'écluse? Le mouchoir en amont de l'écluse, le corps en aval, comment chipoter sur la version de l'éclusier? Déjà Clovis revenait.

— Rex sent quelque chose, mais il ne sait pas quoi chercher. Si tu avais un suspect et si je pouvais faire sentir sa chaussette à Rex, il te montrerait vite par quel chemin il est reparti.

L'eau était redevenue presque limpide. Certes pas à distance de la rive, mais au moins là où les petits ruisseaux suintant de la corniche apportaient un supplément d'eau douce. Le lit du fleuve se laissait lire sur un mètre ou deux avant de s'embrouiller en s'approchant du chenal jaunâtre. Les deux hommes scrutaient de conserve les abords immédiats de l'endroit où Rex avait flairé le mouchoir. Clovis leva la main tout à coup, comme intrigué par une découverte. Il flatta un instant la tête de son pisteur pour s'assurer de son immobilité et plongea la main dans sa vaste sacoche. Il en retira une sorte de ruban de métal. La rigidité en était étonnante.

— Les plombiers utilisent ça pour dégager les tuyaux qui digèrent mal, fit-il à voix basse. Tu pousses ça vers ta fosse septique et le transit intestinal s'améliore.

Féroc demeurait assez proche de sa Bretagne pour entretenir la même méfiance que Clovis à propos des conduites d'eau municipales. Le développement agroalimentaire de la Bretagne avait multiplié les emplois, mais certes pas assaini les cours d'eau ni les équipements sanitaires. Un tel instrument devait servir souvent. Il l'observa quand même avec une curiosité de citadin. Clovis déroula le ruban sur une longueur d'un mètre sans entamer sa rigidité pour la peine. Un mètre et demi et le serpent métallique ne ployait qu'imperceptiblement et obéissait toujours aux demandes de la main. Clovis accrocha à l'extrémité de son ruban un étrange faisceau de fins crochets et allongea encore son ruban. Il s'approcha au plus près de l'eau et projeta le tout un peu à la manière d'un pêcheur au lancer. Soutenu par la main, le grappin heurta l'eau à deux mètres ou deux mètres et demi de la rive et coula lentement vers le fond. Féroc n'aperçut qu'à ce moment ce qui avait attiré l'œil plus exercé de Clovis. À gestes prudents, Clovis rembobina quelques centimètres de son ruban et exerça un début de pression sur son grappin. Quand les crochets mordirent sur un objet au contour encore flou, Rex quitta sa position assise. Il ne bougeait pas, mais il fixait d'un regard hypnotisé ce que Clovis redressait délicatement. Entre le maître et le chien le message avait passé : Rex avait identifié la cible. Clovis pouvait y aller plus rondement. Si son grappin revenait à la rive sans emporter sa proie, Rex s'occuperait du reste. De fait, le grappin perdit sa prise au moment où Clovis achevait de donner à sa capture une position presque verticale. Pendant tout le temps que mit Clovis à détacher de son ruban métallique le faisceau de crochets, à rembobiner le ruban lui-même et à tout retourner dans la sacoche, Rex ne détourna pas la tête une seule fois. Quand Clovis mit la main à plat sur l'épaule du labrador et détacha sa laisse, l'animal s'avança doucement vers le fleuve jusqu'à laisser l'eau lui atteindre le poitrail et s'immergea complètement comme l'aurait fait une loutre. Un instant plus tard, il faisait surface en tenant dans sa gueule un outil vite identifiable : un marteau à double tête et à manche court. Il déposa l'outil aux pieds de Clovis et procéda sans plus de gêne à sa danse de l'essorage. La langue pendante, il reçut comme un dû les félicitations d'usage. Devant un Féroc sidéré, Clovis s'accroupit devant son chien et lui fit mettre la patte sur son genou.

— Quand je dis cela aux gens, ils refusent de me croire, mais regarde toi-même.

Il déployait la patte à sa pleine largeur.

— Ses pattes sont palmées. Si tu vas à la chasse avec Rex, les canards s'aperçoivent vite qu'ils n'ont pas de chance.

L'outil aboutit dans un autre sac de plastique. Féroc, pendant que Clovis terminait l'opération, prenait quelques clichés. Ils serviraient de points de repère pour ceux qui auraient à porter jugement sur les événements sans connaître les lieux. La grande sacoche engloutit ses secrets. Un mouvement de Rex leur fit lever la tête. À une cinquantaine de mètres, dans la voie piétonnière qu'ils venaient de parcourir, un homme s'avançait vers eux. L'individu, menton en galoche, regard hargneux, appareil photo en bandoulière, portait très ostensiblement sur son coupe-vent la mention *Nord-Ouest*. Il n'y avait pas à s'y tromper : Féroc et Clovis avaient devant eux l'auteur du dégobillage qui alimentait les rumeurs dans le canton.

Clovis regarda son chien comme s'il lui reprochait de ne pas les avoir avertis plus tôt. Il sonda ensuite Féroc du regard. Ils tombaient d'accord : l'intrus n'avait rien pu voir de leur cueillette. Ils n'avaient pas besoin de signaux plus explicites. Clovis filerait à Pontivy et irait au laboratoire, Féroc s'y rendrait à son tour aussitôt débarrassé de l'importun.

— Qu'est-ce que ça vous donne de chercher ici? demanda le journaliste, confirmant ainsi qu'il était arrivé trop tard pour voir quoi que ce soit.

— Je vous laisse tirer vos conclusions, riposta Féroc. C'est un sport qui devrait vous plaire.

Gaspillage d'ironie. L'individu, imperturbable, s'approcha du lieu inspecté par Rex. Féroc n'allait pas se priver du malin plaisir de pousser plus loin.

— Vous êtes certain que nous avons terminé nos relevés? Est-ce qu'il y a des indices sur lesquels vous tenez à marcher?

La question était agressive et le journaliste ne s'y méprit pas. Il s'éloigna de la berge pour revenir à la voie piétonnière. Sans plus tenir compte de lui, Féroc se dirigea vers sa voiture. La tentation lui était venue de dire immédiatement son fait au journaliste, mais l'urgence l'emportait. Déjà, Clovis avait engagé sa voiture dans la petite rue de la Libération : les pièces à conviction s'en allaient en lieu sûr. Quand Féroc eut franchi une cinquantaine de mètres, il se retourna et aperçut le journaliste qui, au lieu de longer le Blavet pour regagner l'écluse et le terrain de stationnement de Saint-Nicolas-des-Eaux, s'éloignait du fleuve en gravissant l'escarpement où Rex s'était à peine aventuré.

— Il en sait encore plus que moi, se dit Féroc. Il doit connaître un sentier.

Le journaliste, heureusement, n'avait pas bénéficié des conseils de l'éclusier. Il surestimait l'étanchéité des écluses. Cela surprit Féroc.

15

Le mercredi 2 octobre, 5 h

La nuit de Pharand fut raccourcie par les deux bouts. Les démarches auprès de la Gendarmerie avaient été plus longues et plus oiseuses que prévu, infiniment désagréables somme toute. L'agent de liaison offrait d'aider la police française à intercepter Henri avant son départ. Pourquoi, enseignait-il, courir des risques avec un individu sans doute dangereux? Pourquoi le laisser rentrer au Canada? On risquait de s'embourber dans d'interminables procédures d'extradition. Pharand manquait d'arguments. Il se mordait les lèvres pour ne pas exploser. Lui, qui pensait se montrer gentil et prudent en courant au-devant des coups, récoltait des reproches paternalistes. Quand l'agent lui proposa un appel à l'avocat de la Gendarmerie qui pourrait lui expliquer en mots simples la complexité du problème, Pharand abdiqua et mit fin à la conversation. Puisqu'il en était ainsi, il avertirait Féroc de faire l'impossible pour arrêter Henri à Charles-de-Gaulle. Si le coup ratait, il serait toujours temps pour Pharand et Marceau d'intervenir à Dorval; la Gendarmerie aurait beau faire ses crises de vedette, elle se heurterait au fait accompli et Henri serait sous les verrous. Le déferlement de bêtise l'avait mis de mauvais poil. Fernande le vit devant la télévision, l'esprit visiblement ailleurs, et lui conseilla le lit. Il lui donna raison et passa à la douche, mais le sommeil mit du temps à venir.

Quand la sonnerie du téléphone retentit, Pharand venait tout juste de s'endormir. Telle fut du moins son impression. Il était cinq heures du matin. Instantanément, il fit la conversion, avant même de savoir qui le réveillait: onze heures en Bretagne. De fait, c'était Féroc.

— Désolé, André, et désolé de réveiller ton épouse en même temps. Deux grosses tuiles. La première, c'est qu'Henri nous a filé entre les doigts. Votre petit débrouillard a réussi à se trouver une place sur un vol qui partait plus tôt et il est en route. Aussitôt que j'obtiens confirmation du nouveau numéro de vol, je t'envoie un e-mail.

Pharand s'était extirpé du lit et gesticulait désespérément pour enfiler sa robe de chambre sans lâcher le téléphone. Fernande vint à sa rescousse et l'aida à enfiler les manches du vêtement. Elle l'embrassa sur la joue et fit signe qu'elle préparait le café. Pharand se rassit au bord du lit, s'étirant les muscles de la bouche dans toutes les directions. De la main il se massait les maxillaires couverts d'une barbe abrasive comme un papier de verre. Son instinct de flic, heureusement, n'avait pas attendu pour se remettre en marche.

— Bon, on s'en occupe. Nos chapeaux n'aimeront pas ça, mais ils n'auront pas le choix quand Henri va débarquer. Peut-être aussi que les choses vont se faire en douceur. Nous ne serons pas en uniforme et, si Henri ne fait pas de crise, personne ne verra rien. Tu parlais de deux grosses tuiles. Est-ce que l'autre est pire?

— Pas mal pire, André. On a une deuxième morte. Dans le Blavet elle aussi.

— Y a-t-il un lien avec Marie-Françoise?

— C'est sa mère. Viviane. On l'a trouvée un kilomètre plus loin que sa fille, de l'autre côté de l'écluse suivante.

Pharand s'était relevé. La nouvelle le heurtait vivement. Il revoyait le visage durci d'une Viviane en rage froide. Au premier contact, elle s'était montrée distante, certes, mais reconnaissante. Jetée hors de ses gonds, mais encore capable de bonnes manières. Peut-être Pharand finirait-il par savoir d'où avait surgi cette colère, mais jamais il n'entendrait de sa bouche sa version à elle. Jamais la vérité ne lui paraîtrait complète.

— Je me rends tout de suite au bureau. C'est peut-être plus facile pour toi de m'appeler...

— Oui, je vais bouger pas mal, j'en ai peur. Je présume que tu vas demeurer au bureau jusqu'à vos dix heures à vous et que vous prendrez ensuite la route de Dorval, c'est à peu près ça?

— Parfait. Tu me diras qui je dois avertir. Je pense qu'elle était divorcée, mais je vais quand même essayer de retracer son ex. Sais-tu si la famille Le Guern a d'autres parents au Québec?

— Brouillard complet. La grand-mère ne m'avait mentionné que le nom de sa fille.

L'odeur de café se répandait. Pharand fila se soumettre au rasage et à la douche. Il avait si peu ou si mal dormi qu'il eut l'impression de prendre deux douches l'une à la suite de l'autre. Quand il revint à la table de la cuisine, le teint nettoyé et l'œil allumé, Fernande achevait de préparer des crudités et des sandwiches.

— Petit en-cas pour la route, fit-elle. Tu vas certainement partir trop pressé pour arrêter au restaurant. J'en ajoute pour Jean-Jacques.

Pharand lui mit la main au cou et l'embrassa de nouveau. Elle avait sa façon à elle, efficace d'ailleurs, de l'éloigner de la malbouffe. Elle évitait de le sermonner, mais elle éloignait les tentations. Pas un mot contre les aléas de l'horaire.

— Féroc te demande de l'excuser. Il a un deuxième cadavre. Viviane. La mère de l'autre. La mère et la fille assassinées à trois jours de distance. Dans les deux cas, presque en débarquant de Québec. Il ne comprend pas et moi non plus.

— La mère, c'est celle que tu as conduite à l'aéroport hier?

— Oui. C'est elle qui m'a dit qu'elle n'allait pas chez sa mère pour recueillir un héritage ni pour pardonner. Je ne sais pas si elle a eu le temps de pardonner quelque chose, mais elle n'a certainement pas gagné un héritage.

— Moi, je pense à la grand-mère. Pauvre femme!

— Moi aussi, je pense à elle.

Pharand quitta Fernande en lui disant, comme trop souvent, qu'il rentrerait dès que possible.

Cela, ils le savaient tous les deux, pouvait vouloir dire fort tard. La journée allait exiger un aller-retour Québec-Dorval en sus du reste. Pharand n'avait pas jugé nécessaire d'alerter Marceau dès l'appel de Féroc. La famille Marceau comptait un fils de huit ans qui taxait déjà surabondamment les énergies de ses parents et un appel avant l'aube aurait provoqué une éruption hâtive du geyser. C'était mésestimer Marceau. Pharand n'était attablé à son pupitre que depuis quelques minutes quand le numéro de Marceau s'inscrivit sur l'afficheur.

— Je me doutais bien que tu ne suivrais pas tes propres conseils. Le vrai vieux flic paternaliste! Va dormir, que tu m'as dit, pendant que papa va faire des heures supplémentaires. Es-tu là depuis longtemps?

Marceau avait l'air en meilleure forme. Il était même prêt à rire de ses malheurs.

— Tu essaieras ça, toi, de prendre ta douche assis dans le fond de la cuve et de tenir le plâtre au sec de l'autre côté du rideau. C'est tout juste si j'ai les bras assez longs pour contrôler les robinets au-dessus de ma tête.

— Mais ça achève? demanda Pharand.

— Oui, quelques jours encore et la délivrance. J'ai l'impression que mes prothèses vont me coller aux mains pendant six mois.

Il exagérait, quand même content de jouer les martyrs. Il ne fallut que quelques mots pour que Marceau, à son tour, tombe des nues abasourdi. L'idée de cueillir Henri à Dorval ne lui déplaisait pas trop, même s'il aurait préféré ne pas jouer dans le dos de la Gendarmerie. Regarder dans les yeux un fils à papa et un batteur de femmes, cela faisait circuler en lui un agréable titillement d'adrénaline. En revanche, la mort violente d'une femme venue pleurer le décès de sa fille le laissait décontenancé.

— Je m'en viens, dit-il après un silence blafard.

Pharand se replongea dans la paperasse et les bottins de toutes couleurs. La liste des priorités s'allongeait même s'il la partageait déjà entre eux deux. Beaucoup à faire avant dix heures. Ils pourraient continuer leurs appels téléphoniques pendant le trajet, mais on leur recommandait d'éviter les conversations trop accaparantes pour la conduite ou vulnérables aux écoutes extérieures. D'ici là, en attendant que s'ouvrent les bureaux et que les humains daignent assister les robots téléphoniques, Pharand n'avait que le temps de consulter les fichiers disponibles sur Internet et ceux auxquels la police avait un accès privilégié. Viviane Le Guern possédait un permis de conduire à jour. Aucune restriction ni infraction au dossier. Elle possédait, ce qui surprit à peine Pharand, une Lexus récente qui aurait grevé sérieusement la plupart des budgets. Elle avait quarante-trois ans. Elle ne les paraît pas, estimait Pharand qui la voyait encore assise dans sa voiture, jambes minces et profil de médaille. L'état civil était moins transparent. Mariée en 1981 à Raymond Asselin, au Québec. Cela ne disait pas depuis quand elle habitait loin de sa Bretagne d'origine ni en quelles circonstances elle avait connu Asselin. Lors du mariage civil, le monsieur se gratifiait du titre de comptable, tandis que Viviane Le Guern arborait la profession plus nébuleuse de chercheur. Avec les années, se dit Pharand, elle a probablement féminisé le titre à la québécoise...

Quand les prothèses de Marceau négocièrent leur droit de passage avec la porte du bureau, Pharand avait déjà dressé une assez substantielle litanie d'interrogations. Il s'écoulerait encore une bonne heure avant qu'ils puissent recourir au téléphone pour en venir à bout. Dans l'intervalle, Marceau, bon navigateur Internet, trouverait sûrement sinon des réponses toutes faites, du moins des raccourcis pour se rapprocher des informations. Il compte en plus, se dit Pharand, sur les contacts qui lui doivent un retour d'ascenseur.

— Raymond Asselin, c'est un nom assez courant, mais il ne doit pas y en avoir des dizaines qui sont comptables.

Marceau, chemise impeccable, cravate en place, veston minutieusement suspendu à un cintre, n'osait visiblement pas modifier le style « policier en devoir » qu'il s'était donné au lever et dont il aurait besoin plus tard. Carnet à la main, il notait les questions de Pharand.

— Facile, je m'en occupe.

— Adresse, téléphone, Internet, tout ce que tu peux trouver. Précaution à prendre : il faut lui apprendre la nouvelle, mais on ne sait pas si cela va le jeter en bas de son lit.

— Veux-tu que je vérifie d'abord si les adresses coïncident?

— Vas-y, mais l'annuaire téléphonique ne parle que d'elle.

— S'il y a eu divorce, les registres devraient nous le dire, poursuivit Marceau.

Pharand avait compris que Marceau se chargeait de l'opération et il s'en réjouissait.

— Non, fit Marceau à brûle-pourpoint, ne me le dis pas. Je le sais.

Devant un Pharand médusé, il précisa sa pensée :

— Toi, je te connais, tu vas évidemment suivre la piste de l'argent...

— Un à zéro pour toi, avoua Pharand. Mais je n'oublie pas l'autre moitié de ce que m'a craché Viviane Le Guern : ni héritage ni pardon.

16

Le mercredi 2 octobre, 10 h

Cette fois, les auberges de Saint-Nicolas-des-Eaux et de Pluméliau n'avaient pas eu à se plaindre : dès la révélation d'un deuxième meurtre, l'intérêt des médias s'était manifesté et les réservations de chambres avaient aussitôt atteint le point de saturation. Des visages surgissaient que les gens croyaient reconnaître, mais qu'ils avaient vus jusqu'alors à la télévision seulement. Le patron de *La Fée du Blavet,* dont le bateau-mouche somnolait à vingt mètres des cars de reportage des stations de radio et de télévision de Rennes et de Nantes, s'était d'abord rongé de jalousie devant la chance des hôteliers. Puis, saisi d'une idée de génie, il avait concocté un projet alléchant : excursion spéciale en bateau-mouche sur les lieux des deux crimes. Le pilote obtiendrait sans trop de peine la coopération des éclusiers et il aurait droit à la reconnaissance des médias électroniques toujours friands d'images. Double bénéfice! Rescapage d'une saison qui agonisait; visibilité médiatique utile aux prochaines saisons. Du coup, il avait tiré du placard et endossé son plus bel uniforme d'amiral de la flotte! Féroc songea un instant à lui demander par quelles révélations il avait identifié ces endroits... Un autre qui en savait plus que lui!

Féroc détestait travailler dans de telles conditions. La cadence à laquelle déferlaient l'information mais aussi les rumeurs n'avait rien à voir avec les débordements déjà inquiétants de la presse écrite. D'heure en heure, la radio débitait des entrevues avec d'obscurs personnages magiquement promus au statut de témoins oculaires; de bulletin en bulletin, micros et caméras réclamaient de nouveaux développements et houspillaient les enquêteurs pour leur extorquer une impossible mise à jour. Les ruses auxquelles Féroc et Clovis avaient recouru aussitôt le deuxième corps découvert au petit matin ne suffiraient pas longtemps. Elles leur ménageaient tout juste le loisir d'un examen des lieux raisonnablement discret. S'ils avaient de peu devancé les journalistes, ils n'entretenaient aucune illusion: leur curiosité et leur sans-gêne rendraient vite les précautions futiles. Il fallait se hâter.

Le corps de Viviane Le Guern avait été aperçu depuis la rive par un paysan juché sur son tracteur. Sur une certaine distance, en effet, un peu en aval de l'écluse de La Couarde, le Blavet et sa voie piétonnière longeaient parcelles cultivables et patrouillées au printemps et à l'automne par une panoplie de machines aratoires. Pendant quelques centaines de mètres, aucun écran d'arbres ne s'interposait entre le fleuve et les champs en culture. En temps normal, la masse sombre accrochée à la rive du Blavet aurait été confondue avec les branches ou les petits amas de foin qui se détachaient des bords et que le fleuve emportait dans ses boucles. Nul n'y aurait prêté attention. En raison du meurtre de Marie-Françoise et de l'activité qu'avait suscitée l'enquête, les regards s'étaient aiguisés. Le paysan, un moment incapable d'en croire ses yeux, avait vu un corps flotter à deux pas de la piétonnière. Il avait aussitôt avisé la police. La police seulement, prétendait-il, mais Féroc entretenait un doute. Déjà, la réceptionniste de la centrale de police venait de l'avertir que le renifleur du *Nord-Ouest* avait eu vent de quelque chose et laissé un message.

Féroc avait aussitôt mobilisé Clovis et son chien. Premier arrêt : l'écluse de Saint-Nicolas-des-Eaux; destination ultime : l'écluse suivante, celle de La Couarde. Pour sa part, la rage au cœur, chagriné et vaguement honteux, il rendrait d'abord visite à Anne Le Guern pour, encore une fois, lui assener une horrible nouvelle. Cela laisserait à Clovis le temps de le rejoindre. Il ne voyait pas comment il aurait pu prévenir ce second drame, mais cela ne le mettrait pas à l'abri des critiques. Combien, la presse en premier, lui reprocheraient de ne pas avoir déjà mis le meurtrier de Marie-Françoise hors d'état de nuire? Ce ne serait pas la première fois qu'on le mettrait sur la sellette, mais il était blessé qu'on paraisse mettre en doute sa détestation de la violence. Si Anne Le Guern posait la question, Féroc devrait même avouer que Fernand Henri avait filé et qu'il fallait maintenant compter sur la police québécoise pour lui mettre la main au collet. Elle ne le féliciterait pas!

À la résidence des Le Guern, Féroc fut soulagé, sentiment dont il n'était pas fier, de ne pouvoir entrer directement en contact avec Anne Le Guern. Un intime, l'avocat dont Anne Le Guern lui avait vanté les mérites, recevait les messages de condoléances et les quelques visiteurs incapables de se présenter en soirée. Anne Le Guern, expliqua le plaideur, avait fini par se plier aux conseils de son médecin et dormait depuis quelques heures sous sédatifs. Féroc lui confia la nouvelle, promit de revenir et argua des contraintes de l'enquête pour écourter sa visite aux limites de l'impolitesse.

— Même déroulement? demanda sobrement l'avocat de sa voix bien timbrée. Il maniait l'euphémisme avec élégance.

— Je le crois, mais je n'en sais pas plus. Veillez si possible à ce que madame Le Guern échappe à la presse. Radio et télé surtout. Ils sont en chasse.

Cette fois, Féroc n'avait pas ressenti un scrupule de faire rouler une voiture dans la voie piétonnière. Ce serait celle de Clovis. En raison du fatras que le technicien traînait toujours avec lui, mieux valait approcher sa longue camionnette le plus possible de la scène du crime. Féroc allait rejoindre Rex sur le deuxième banc du spacieux véhicule quand il songea à une précaution supplémentaire. Pour frustrer quiconque voudrait les suivre en auto, il stationna sa propre voiture dans l'entrée de la voie piétonnière, là où le mince ruban de bitume usé reprenait son cours après une éclipse devant le quai de *La Fée du Blavet.*

Comprenant la manœuvre, l'éclusier de Saint-Nicolas-des-Eaux compléta le blocage du sentier piétonnier en venant coller sa voiture à celle de Féroc. Du coffre de sa voiture, l'éclusier avait même extrait une affiche interdisant péremptoirement le passage pour motif de « travaux ». Féroc le remercia :

— Non seulement vous raisonnez mieux que les meurtriers, mais vous lisez dans mes pensées!

— Je vais souvent au cinéma, fit l'autre avec un sourire, sans songer que Féroc préférait peut-être ne pas ressembler aux clichés des médias.

Féroc remit la clé de sa voiture à l'éclusier; à lui de la déplacer si une urgence exigeait de dégager la voie piétonnière. Pas un mot n'avait été dit au sujet des paparazzis, mais l'éclusier et les policiers s'étaient retrouvés sur la même longueur d'onde. Les curieux professionnels ne se résigneraient pas facilement à marcher deux ou trois kilomètres en transportant leur équipement... Leurs arrières quelque peu protégés, Féroc, Clovis et Rex, rassemblés dans la fourgonnette, gagnèrent de façon relativement discrète l'écluse de La Couarde. En cours de route, ils communiquèrent par portable avec la base de plein air dont les apprentis kayakistes avaient repéré le premier cadavre. La brume enveloppait encore le Blavet, mais la journée de travail avait débuté pour le responsable de l'animation. Trois minutes plus tard, ils se retrouvaient à côté de l'écluse La Couarde. Ils avaient salué, à leur droite, la flottille des kayaks dont les couleurs pétillantes tranchaient sur les verts affadis et les ocres. Le responsable des cours de kayak les attendait près de l'écluse. Son hors-bord se dandinait au bout de sa longe en aval du barrage.

— J'ai pensé que vous préféreriez peut-être passer par le fleuve, expliqua-t-il. La piétonnière continue, mais elle n'a pas été examinée.

Féroc en arrivait presque à se réconcilier avec la télévision. Tant mieux si un éclusier l'aidait à esquiver les journalistes; tant mieux si un spécialiste du kayak préservait la « scène du crime » au point d'en éloigner les policiers eux-mêmes! Le déplacement du corps serait un peu plus compliqué, mais Rex reniflerait un sol vierge. Déjà concentré sur les odeurs du Blavet, le chien attendait son mandat. Clovis, rendu prudent par sa conclusion hâtive de la veille, imitait presque son attitude. Il stationna sa fourgonnette au plus près du hors-bord.

— Je n'ai rien vu, fit l'animateur aussitôt qu'ils furent à bord, et ça me surprend beaucoup. Je suis arrivé très tôt ce matin et je ne me suis presque pas éloigné de l'eau. Si elle avait franchi l'écluse de La Couarde, il me semble que je l'aurais vue. De toute manière, pour qu'elle... qu'elle soit sur cette berge-ci, il faut quasiment qu'elle soit tombée à l'eau de l'autre côté. La boucle est tellement accentuée ici que tout ce qui flotte est poussé vers l'autre rive. Si le corps avait sauté le barrage, le courant aurait dû l'entraîner vers l'autre bord. Mais c'est vous les enquêteurs, pas moi. Embarquez, je vous conduis.

Féroc s'était concentré sur les impressions du jeune homme. Il s'était souvent redit, mais abstraitement, qu'un enquêteur gagne à écouter ceux qui savent de quoi ils parlent, éclusiers ou pagayeurs. Au moment où Clovis enjambait le petit bastingage, Féroc vit le regard de l'animateur s'appesantir sur le sac de toile qu'emportait Clovis. Ce qui pour eux était devenu un triste aléa du métier relevait pour l'animateur de l'exceptionnel et de l'horrible. À petite vitesse, le hors-bord ne mit qu'un instant à franchir la centaine de mètres qui les séparaient de leur cible. Le paysan, les voyant venir, descendit de son tracteur et leur indiqua du bras la direction. Le corps était tout près de la rive, intercepté dans sa dérive par un arbuste que le vent avait couché et qui faisait obstacle.

— Passez tout droit, s'il vous plaît, demanda Clovis, et débarquez-nous, Rex et moi, un peu en aval. Rex va longer le bord de l'eau en remontant vers l'écluse. Quand nous aurons dépassé le corps, je vous ferai signe. Si Rex n'a rien senti, vous pourrez repêcher le corps.

Au signal, le chien bondit vers la rive, ne se privant évidemment pas du plaisir de faire jaillir l'eau. Clovis le rejoignit et le fit s'accroupir près de son genou. Le silence retomba que traversaient seulement le battement du moteur du hors-bord et le ronronnement métallique du tracteur diesel. Quand l'animateur s'affaira à réunir câbles, vestes de sauvetage et grappins, Féroc s'en voulut de son insensibilité : le jeune homme blêmissait à l'idée de hisser un cadavre dans son embarcation. Il avait tout de l'athlète, mais ses gestes manquaient de la fluidité qui devait les marquer d'habitude.

— Prêtez-moi une gaffe, fit Féroc, et essayez de garder votre bateau collé le long de la rive, entre le bord de l'eau et le corps. Vous réussirez sûrement mieux que moi. Je vais m'occuper du reste.

Le jeune homme avait incliné la tête. Pas un instant il n'avait tourné son regard vers la masse noire et fauve qui tremblotait sur l'eau à deux mètres de l'embarcation. Pour la deuxième fois en quelques minutes, Féroc se demanda fugitivement si son métier de policier l'avait blindé, durci. Il chassa la question : elle n'avait pas de pertinence immédiate. Dès que Clovis s'aperçut que Féroc, d'un maniement délicat de la gaffe, avait amené le corps contre l'embarcation, il intima à Rex l'ordre de ne pas bouger et remonta dans le hors-bord. Lui et Féroc étendirent ensemble sur le plancher le sac de toile que fendait en son centre une solide fermeture éclair. Le kayakiste, retrouvant ses réflexes, compensa le déséquilibre des poids en s'agenouillant sur l'autre flanc de l'embarcation. Son visage un peu poupin avait empêché les policiers de remarquer sa carrure; ils appréciaient maintenant son réflexe du contrepoids. Le hors-bord retrouvait presque parfaitement son assiette. Clovis et Féroc eurent à se raidir les muscles brièvement, car la succion de l'eau gardait son emprise sur le corps. Ce fut l'affaire d'un instant. Dès que le corps de Viviane Le Guern perdit contact avec le Blavet, les deux hommes cessèrent l'effort : la femme, même enveloppée d'un coupe-vent ouaté et alourdi par son séjour dans l'eau, ne pesait presque rien. Clovis, qui avait agrippé les épaules et qui évitait le plus possible de toucher à la tête, avait quand même à quelques centimètres de lui le regard exorbité de la morte et l'ignoble bouillie qu'était devenu son crâne. Féroc, qui tenait fermement la saignée des deux genoux, était partiellement épargné de ce spectacle. Après avoir allongé le corps au fond de la longue gueule béante du sac, ils tirèrent la fermeture éclair sur toute sa longueur. Au glissement métallique, l'animateur sut qu'il ne risquait plus rien à se retourner. Il était livide, mais ses bras tenaient toujours solidement la gaffe.

— C'est vous qui êtes normal, lui murmura Féroc sans le regarder. Nous, nous en avons trop vu. Quelle pitié! Nous aurons encore besoin de vous pour quelques minutes, mais le pire est passé.

Féroc ne dit rien de ce qui les attendait, eux, et surtout le médecin légiste. Selon les apparences, Viviane Le Guern avait été tuée d'un coup extrêmement violent qui rappelait celui dont sa fille avait été victime. Comment pouvait-on aussi délibérément choisir la mort plutôt qu'une blessure ou une neutralisation? Et avec quoi avait-il frappé? Féroc dut se rappeler à lui-même que l'instrument ne pouvait pourtant pas être le même. Il ajouta, au bénéfice de Clovis, qu'il manquait un soulier.

— Oui, j'ai vu ça et j'ai gardé l'autre en dehors du sac. Peut-être que Rex...

À la mention de son nom, le chien dressa l'oreille, mais ne bougea pas. Un bruit attira leur attention : le paysan s'était approché à la limite du champ qu'il rayait en labours d'automne et n'avait rien raté du spectacle. Féroc préférait d'emblée la pudeur craintive du jeune animateur à la curiosité morbide de l'autre. Il en fit abstraction pour remercier l'homme de sa vigilance.

— J'imagine que vous aurez la visite des journalistes. Ne leur dites que ce que vous voulez bien leur dire.

À l'inconfort de l'homme, Féroc sut que la mise en garde arrivait trop tard. En plus, elle glissait sur le paysan comme l'eau sur le dos d'un canard. Toujours la même tentation d'exploiter à fond la moindre occasion de notoriété. Comment font les journalistes, se demanda Féroc, pour recevoir aussi vite la révélation de ce que j'exhume si péniblement?

— Votre terre a l'air d'être de la bonne terre pesante, ajouta-t-il à l'adresse du bonhomme qui réinstallait son chapeau sur son crâne dégarni.

Le temps qu'il réagisse, Clovis et Rex auraient échappé au regard inquisiteur du paysan.

— Ah! Ce n'est pas ma terre. J'ai pas les reins assez forts pour ça. Je cultive pour monsieur Kervarec.

Le jeune animateur s'inséra dans la conversation pour signaler que, en effet, le patron des Entreprises Kersol était propriétaire de grandes surfaces dans les environs.

— Nous avons de bons rapports avec lui.

Quand nous avons amené des jeunes ici, il est tout de suite venu nous voir. Il était un peu à pic, mais on s'est expliqués. Nos jeunes sont avertis de tenir compte des propriétés privées et lui ne fait pas de crise si un kayak fait escale du mauvais côté du fleuve. On a déjà eu un accident et on a grimpé chez lui, en haut là-bas. Il ne nous a pas encouragés à recommencer souvent, mais il a trouvé l'aide qu'il nous fallait.

De loin, Clovis levait le bras silencieusement en imitant un essuie-glace. Rien. Rex, la truffe au sol, un peu désœuvré, fouinait partout, sans rien pointer. Clovis mit un instant à ajouter des clichés, question de verrouiller ses souvenirs. « Oui, monsieur le juge, nous avons tout vérifié. Voyez les lieux. » Pontivy n'était pas Paris ni même Rennes, mais on y avait appris là aussi à se prémunir contre les plaideurs.

— Je pense qu'on peut y aller, dit Féroc à l'animateur. Vous avez bien fait, à propos des traces. On ne sait jamais.

Le hors-bord recula lentement dans une eau presque dormante. Puis, il pointa le nez vers l'écluse de La Couarde et remonta le cours du fleuve. Clovis et Rex, sur la rive, franchissaient lentement la centaine de mètres. Le moteur respirait à bas régime, comme gêné de faire éclater un temps figé. Tout en surveillant la rive, le jeune conducteur risquait un œil sur le sinistre sac gris qui contenait la dépouille. Étrange fascination qui anesthésiait le choc. Lui aussi s'habituerait, se dit Féroc.

— À votre avis, demanda-t-il, est-ce que le corps aurait pu passer par-dessus l'écluse?

— Oui, il aurait pu, répondit-il avec une spontanéité que remarqua Féroc. Elle a l'air toute mince. Tout dépend si elle flotte vis-à-vis des portes ou vis-à-vis de la partie fixe du barrage. Le seuil à franchir n'est pas le même.

— Mais, d'après vous, elle aurait pu venir de l'autre rive? Est-ce que je vous ai bien compris?

— Je ne suis pas certain, mais c'est le courant qui me fait dire ça. Dans une boucle comme ici, le courant ne reste pas au centre. L'eau, ça se comporte comme un véhicule: l'auto qui entre dans une courbe cherche à continuer en ligne droite. Quand l'eau entre dans une courbe, elle va gruger la berge en face et elle devient presque stagnante sur le bord le plus rapproché. Nos jeunes s'en aperçoivent vite: le kayak est plus difficile à contrôler.

Il indiquait à Féroc l'amont qui leur faisait face.

— Le Blavet est plein de courbes. Ici, il fait presque un tour sur lui-même et le courant change constamment. Après une courbe, vous avez d'un côté un bon courant et ça ne bouge presque pas dans l'autre partie du fleuve.

Il brûlait d'en dire davantage. Il pense sûrement, se dit Féroc, que nous nous trompons d'hypothèse. S'il a raison, j'ai une mauvaise moyenne: deux fois en deux jours... L'animateur, tout en s'excusant d'un sourire, fit exactement ce qu'il prétendait ne pas vouloir faire:

— Je ne veux pas me mêler de ce qui ne me

regarde pas, mais je gagerais qu'elle vient d'en face, de l'autre rive, pas de l'amont... Il y a un petit sentier qui monte jusqu'à un belvédère. Elle a pu descendre par là et glisser.

Il ne lui a pas vu la tête pour parler ainsi, se dit Féroc. Cela vaut mieux. Le jeune homme continuait à parler d'une femme et non pas, comme eux, d'un corps ou d'un cadavre. Il disait « elle », comme s'il parlait d'une vivante. Et il lisait le fleuve comme un familier, si attentif aux caprices du courant qu'il s'étonnait que les autres les ignorent. En quelques jours, cet homme-là devait familiariser les jeunes avec beaucoup plus que les efforts d'une pagaie.

Féroc misa sur le jeune éducateur, en prévoyant, bien sûr, le regard noir de Clovis quand, comme la veille, il lui demanderait de conduire Rex là où, à première vue, rien ne s'était passé. Il le fallait pourtant.

— Puisque nous sommes tout près, pouvez-vous nous conduire en face?

Ce serait l'affaire d'un instant, mais il fallait d'abord rejoindre l'écluse et transférer le corps de l'embarcation à la fourgonnette. Féroc et Clovis se chargèrent de l'opération. Au moment où Clovis appelait son chien et s'apprêtait à reprendre la route, Féroc l'avisa du changement de programme.

— J'aimerais que Rex renifle l'autre rive. Peux-tu lui faire sentir le soulier qu'on a mis à part?

Il était facile de lire les pensées de Clovis. Il ne voyait pas l'utilité de la démarche, mais il gardait en travers de la gorge sa présomption de la veille...

Il faudra que je joue franc jeu avec lui, se dit Féroc. Cette idée-là non plus ne vient pas de moi.

Ils traversèrent le Blavet à moteur ralenti. Au parcours que choisit le kayakiste pour approcher son hors-bord de l'autre rive, Clovis pigea le raisonnement. Autant l'embarcation s'était laissé ballotter paresseusement à proximité du cadavre, autant le moteur devait intervenir pour maintenir le hors-bord en face du petit sentier de chèvre dont ils approchaient. Le courant, sans tourner à l'emportement, se faisait sentir et poussait vers l'autre rive. Le conducteur contrôla les gaz et colla le flanc de l'embarcation à la berge. Clovis avait sorti le soulier de son sac plastifié et Rex l'avait humé avec concentration. Au signal de Clovis, la bête bondit dans le dernier mètre d'eau et grimpa sur la berge. À peine quelques secondes plus tard, il s'immobilisait. Son attitude était si révélatrice que le kayakiste, de lui-même, disposa son embarcation pour permettre à Clovis de rejoindre son chien. Puis, Féroc se pencha par-dessus le bastingage pour lui remettre une longue pince, un sac de plastique. Quand Clovis eut mis le second soulier dans le sac, Féroc procéda à un échange : le sac contre l'appareil photo.

— Clovis, dit Féroc à voix haute en tournant le pouce vers le jeune moniteur. Le génie, c'est lui.

Au bénéfice du jeune homme fier comme un médaillé d'or, Féroc enchaîna :

— Comptez sur moi pour vous féliciter publiquement. À une condition : que cela reste entre nous jusqu'à l'arrestation du meurtrier.

D'un signe de tête, le kayakiste acceptait le marché. Grâce à lui, plusieurs questions de Féroc avaient perdu tout intérêt en quelques minutes. Les poignées de main qu'ils échangèrent à trois en disaient long sur la reconnaissance des policiers.

– J'ai l'air d'un con, déclara Clovis au jeune homme, mais ça ne me fait pas de peine. Chapeau! J'ai hâte que mon fils suive tes cours.

La fourgonnette reprit aussitôt la voie piétonnière en direction de Saint-Nicolas-des-Eaux.

– Je file à la centrale, déclara Clovis. Ça va me donner le temps de me reconstruire la face! Je leur remets le corps et je fais développer mes photos. Je ne sais pas si elles seront très claires, mais il y avait au moins une grosse empreinte de botte masculine à côté du soulier.

– Et tu retournes? demanda Féroc.

La suite allait de soi. Maintenant qu'ils avaient une bonne idée de l'endroit où le corps de Viviane Le Guern avait été jeté dans le Blavet, Clovis était tenté de reconstituer le trajet du meurtrier à partir du belvédère.

– As-tu l'impression qu'il l'a tuée sur le bord de l'eau? demanda Féroc.

– Je n'ose plus affirmer rien! répliqua Clovis en secouant la tête. Deux bonnes taloches en deux jours, c'est dur.

– Elles ne sont pas venues de moi, fit remarquer Féroc. Mais ton impression?

– L'empreinte d'homme était drôlement creuse. Peut-être qu'il la transportait sur son dos. Je n'imagine pas une femme en talons en train de débouler ce sentier. Mais si tu rencontres un alpiniste qui dit le contraire, oublie-moi et achète sa version!

Pendant que Clovis se mettait en route pour Pontivy, Féroc récupéra sa clé et déplaça sa voiture. À l'interrogation muette de l'éclusier, il répondit d'un geste : bonne cueillette! Il n'y avait aucune raison pour que les journalistes s'éloignent de la rive côtoyant la piétonnière. C'était leur secret, à eux et au moniteur. Même si le paysan curieux les avait suivis de l'œil, l'escale sur l'autre rive avait été si brève qu'il ne pouvait rien en déduire.

Féroc, requinqué par la contribution du kayakiste, se prépara l'esprit aux aspects plus voyants de son enquête. Il devait, au risque d'attirer sur lui la curiosité des médias, mettre sous scellés la chambre louée à l'auberge par Viviane Le Guern. Il craignait qu'il ne soit trop tard. Rien ne garantissait, en effet, la discrétion de l'aubergiste : il ne devait pas être trop difficile pour un journaliste persuasif d'emprunter la clé donnant accès à la chambre et aux secrets d'une morte. Les prétextes ne manquaient d'ailleurs pas pour justifier une intrusion dans la chambre. Qui pourrait blâmer une femme de chambre de « mettre de l'ordre » selon sa routine? Féroc pensa au message que l'omniprésent Kervarec avait remis à l'hôtelière à l'intention de Viviane Le Guern, et il pressa le pas.

17

Le mercredi 2 octobre, 9 h

Pour le mieux et pour le pire, l'heure avançait. Pharand et Marceau pouvaient maintenant recourir au téléphone sans interrompre le sommeil de qui que ce soit, mais il leur restait une heure à peine avant de se mettre en route pour Dorval. Celui que Pharand et Marceau, depuis des lunes, désignaient sous le surnom devenu presque affectueux de « prudent procureur » avait été consulté. Il expliquerait à la susceptible Gendarmerie royale qu'il ne fallait pas reprocher à Pharand et à Marceau les craintes et les lenteurs de la bureaucratie française. De toute façon, un Québécois s'amenait qui aurait à répondre d'un et peut-être de deux meurtres. Les deux décès étaient survenus en Bretagne, mais les victimes vivaient normalement au Québec et le suspect était québécois. En fallait-il davantage pour que la police d'ici s'intéresse au dossier? Le prudent procureur ne voyait aucune raison de s'affoler. Il ne voyait pas non plus de difficultés à ce que le décès de Viviane Le Guern – il ne parlait pas encore de meurtre – aplanisse les contraintes et assouplisse les procédures. Oui, il obtiendrait en catastrophe la permission pour Pharand et Marceau de pénétrer dans les appartements des deux victimes, au moins pour assurer la sécurité des lieux et pour obtenir, si possible, les coordonnées des autres membres de la famille. Même chose pour les coups de sonde dans les finances de Viviane Le Guern. Bien sûr, la police se retirerait poliment du décor dès l'instant où quelqu'un surgirait qui puisse assumer les intérêts de la victime. À chaque demande, il acquiesçait sans l'ombre d'une réticence. Il était dans un bon jour et Pharand montra toute la déférence qu'il fallait pour éviter les nébulosités.

— D'après vous, faut-il porter immédiatement des accusations contre Fernand Henri? demanda-t-il enfin. Vous contentez-vous de le détenir et de le garder à la disposition de la justice française? On ne peut pas faire ça longtemps.

— J'allais justement vous demander des points de repère, répliqua Pharand. Je ne sais pas quoi répondre à votre question. Pouvez-vous nous gagner vingt-quatre heures?

— En principe, oui, mais surveillez votre vingt-quatre heures. Si je vous interprète correctement, vous l'interceptez à Dorval, vous lui offrez un siège dans votre voiture et vous l'emmenez à Québec. Le chronomètre va tout de suite commencer à courir. Mettez-vous dans la peau des superblablateurs : ils vont voler au secours d'un pauvre innocent bousculé par des flics brutaux dans votre genre. Ils affirmeront que vous l'avez gardé incommunicado dans votre « cage » pendant trois heures, que vous avez profité de la fatigue du voyage pour le soumettre à des interrogatoires abusifs et que vous n'osez même pas dire de quoi vous accusez leur irréprochable client. Je ne suis même pas certain qu'on ne verra pas se pointer un quelconque consul. Il ne faudrait pas retarder la mise en accusation...

— J'ai quand même une demande formelle de la police française...

— Oui, cela donne du jeu. On peut répondre que c'est aux Français de définir l'accusation. Avant que l'avocat de la famille Henri retrouve le responsable du dossier là-bas, vous aurez une meilleure idée de la preuve. Si jamais les Français s'énervent, c'est facile de les faire taire : « Reprenez-le et jugez-le chez vous. » D'après moi, ils seront trop heureux de nous le laisser. Non, je ne vois pas de gros problème ni là-bas ni ici, à condition que ça ne traîne pas.

Pharand reprit le mot pourtant peu répandu de « cage ».

— Écoutez, monsieur Laniel, la « cage » ne date quand même pas du régime français. Les portières arrière sont contrôlées de l'extérieur, il y a un treillis protecteur entre le siège arrière et les policiers en avant, mais ça demeure un véhicule rattaché au monde extérieur. Pourquoi ne pas offrir à notre distingué touriste de le laisser effectuer les appels qu'il a, comme on dit, le droit sacré de faire? Il parle à son avocat pendant que nous roulons. Il se tait ou il placote selon les conseils que l'autre lui donne. Et l'avocat nous attend à Québec pour que le palabre réunisse tout le monde. D'après moi, ça peut faire le bonheur d'Henri. Il peut aussi bien nous remercier de lui donner un transport gratuit jusqu'à Québec. On ne l'emmène quand même pas à Guantanamo!

Le procureur rigolait.

— Excellent! Si j'étais à la place de son avocat, j'exprimerais peut-être des doutes sur l'étanchéité des téléphones de la police ou sur la confidentialité des conversations tenues à dix centimètres de vos oreilles, mais nous ne sommes pas obligés de l'aider à se dépatouiller. Non, je pense que votre formule se défend. Arrangez-vous simplement pour ne pas être accusé d'espionner ses conversations. Embarquez-le et offrez-lui de téléphoner à partir de votre « cage ». J'allais vous suggérer de le laisser téléphoner à partir de l'aérogare, mais c'est à vous d'en décider : ce serait une communication plus étanche et moins discutable, mais ce n'est peut-être pas prudent d'offrir trop de tentations à un individu peut-être impliqué dans un ou deux meurtres. Un autre que vous provoquerait peut-être de la méfiance, mais je sais que les avocats respectent votre parole.

Que les relations s'étaient améliorées depuis les premières démarches de Pharand auprès du procureur! Si améliorées que Marceau n'eut même pas l'air surpris quand Pharand raccrocha en évaluant la conversation d'un pouce dressé triomphalement.

Marceau n'avait pas perdu son temps. L'ex-mari de Viviane Le Guern n'appartenait plus à la corporation professionnelle des comptables agréés du Québec, mais on l'avait retracé. Il pratiquait désormais à Toronto. Rejoint au saut du lit à son domicile, il avait encaissé difficilement la nouvelle du double meurtre. En rentrant la veille d'un voyage d'affaires dans les Prairies, il avait trouvé sur son répondeur un message de Viviane, le premier en une éternité. Elle n'en avait pas dévoilé le motif et il s'apprêtait justement à réagir. Marceau ne savait que penser de sa réaction. Asselin n'avait eu que des propos respectueux à l'égard de son ancienne épouse, mais il ne voyait aucune raison, après maintenant vingt ans, d'assister à son service funèbre. Il ne voyait pas quelle parenté Viviane Le Guern pouvait avoir au Québec. Marceau insista. Autant Asselin était correct et détaché en parlant de son ex-épouse, autant l'émotion le charria quand il fut question de Marie-Françoise. Sa fille lui avait pourtant bien rarement donné signe de vie au cours des années, mais il lui avait écrit à ses anniversaires, s'était manifesté par téléphone de temps à autre. Peut-être par déformation professionnelle, il saisit la première occasion de parler chiffres. Il prétendait avoir longtemps versé une bonne pension alimentaire à son ex. Il ne le faisait plus depuis quelques années : Marie-Françoise était majeure et, en plus, elle lui avait dit qu'elle pouvait se débrouiller.

— Elle avait à peu près quatre ans quand le couple s'est effondré, expliqua Marceau. Ça doit être l'enfer. S'il avait été de retour plus vite, il aurait sûrement rappelé Viviane qui ne le relançait jamais sans motif sérieux. Il m'a dit à deux reprises : « Trop tard. » Comme s'il essayait de tranquilliser sa conscience. Il ne nous agressait pas en disant ça. D'après lui, nous avons tout simplement laissé à son ex le soin de l'avertir ou de l'oublier et il trouve ça bien correct. Un bon gars blême et ennuyeux, si tu veux mon avis. Je n'ai pas vu ta Viviane, mais un légume comme lui dans le même lit qu'une dynamo comme elle, je n'arrive pas à imaginer ça...

Marceau fit une pause pour ménager son effet :

— J'ai quand même vérifié : il était vraiment à Edmonton...

— Et les finances récentes de son ex, est-ce qu'il t'en a parlé?

Marceau fit signe que non.

— Est-ce qu'il y a eu un divorce?

— Oui, fit Marceau, mais je n'en sais pas plus. Asselin parle de Marie-Françoise, mais il devient comme une porte de prison quand tu parles de son ex. Un mur. Je vais quand même fouiller le dossier du divorce. Ça laisse toujours des traces. On va au moins savoir lequel des deux en a eu ras le bol.

Pharand, de son côté, avait recouru aux services municipaux et établi l'identité du propriétaire de l'appartement occupé par Viviane Le Guern. Il habitait tout près. Il se ferait un plaisir d'ouvrir à Pharand la porte de l'appartement.

— J'exige toujours d'avoir un « double » de la clé. On ne sait jamais. Mais je n'entrerai pas avant vous. Je ne veux être mêlé à rien. Je vais relire le bail pour voir quand je peux relouer l'appartement.

Il n'aurait pas fait un bon rédacteur d'éloges funèbres. Précis, méticuleux, pas plus de compassion dans les mots que de baume sur le cœur, il était du bois dont on fait les barreaux de chaise.

— Je jette un coup d'œil sur l'appartement, indiqua Pharand en prenant dans son tiroir les menottes, le revolver de service et, bien sûr, le petit en-cas de Fernande. Note l'adresse sur Calixa-Lavallée. Je pars avec la « cage » et tu me rejoins là en taxi ou autrement à dix heures moins dix. Je veux pouvoir dire à Féroc que nous autres on n'échappe pas nos poissons.

À l'appartement, il laissa son cœur sec déverrouiller la porte.

— Vous n'avez qu'à tirer la porte en partant.

Le propriétaire s'esquiva aussitôt comme s'il avait craint que l'appartement soit contaminé. Pharand n'avança que d'un pas. Le dos à la porte qu'il avait refermée d'une pression de l'épaule, il enfila de minces gants de tissu. Des moquettes au long poil gris ressortaient contre des planchers de bois franc. Les murs étaient couverts presque au complet de reproductions évoquant aux yeux de Pharand le monde halluciné des fantômes, des spectres, des gargouilles. Il hésitait à leur trouver un air de famille. Au bas de plusieurs, il put lire une référence à la Bretagne. Il faudrait que Féroc lui raconte ses cauchemars de petite enfance. S'ils ressemblaient à ceci... Un peu partout, dans des bibliothèques hautes et ouvertes, mais aussi sur la table basse au centre du salon, des livres aux titres austères et aux brochages sans fioritures. Quelques gros albums reproduisant des sculptures. Une bibliothèque de spécialiste. Chercheuse ou chercheur, Pharand ne voulait pas trancher. Pressé par le temps, il entreprit un tour rapide de l'appartement. Viviane Le Guern tirait visiblement deux usages de son salon : la détente et le travail. On devinait sans peine dans quel fauteuil elle se blottissait pour lire et écouter sa musique, mais on identifiait aussi aisément le coin propice au travail. Pharand s'approcha de l'immense panneau de verre posé à l'horizontale sur deux chevalets de fer forgé. Un vase à large base contenait des dizaines de stylos de toutes couleurs, des blocs-notes se chevauchaient les uns les autres, des livres s'empilaient sans ordre apparent mais arborant tous des signets multiples et de couleurs variables... Aucune présence masculine ne se faisait pressentir. Sur un coin de la table, là où la main ne devait pas se porter couramment, une paire d'appuie-livres avait hérité de la tâche d'accueillir ce que Pharand cherchait : les chéquiers anciens, les carnets de caisse désormais remplacés par les feuilles mobiles des relevés mensuels, tout ce qui racontait l'histoire financière d'une femme dont le train de vie avait étonné Pharand.

Les relevés mensuels de la caisse populaire du quartier, reconnaissables à leur vert délavé, étaient regroupés et prisonniers d'une pince de belle envergure. Elle pourrait, sans se décrocher la mâchoire, absorber plusieurs années de comptes rendus. Le dernier en date figurait en première place. Ceux qui suivaient ressuscitaient un passé de plus en plus lointain. À lui seul, le plus récent confirmait l'intuition de Pharand: les entrées de fonds mensuelles étaient considérables. Un coup d'œil sur les relevés des mois antérieurs accrédita encore davantage l'hypothèse: le flux était constant. Les codes de la caisse populaire ne laissaient aucun doute. Les achats, dûment identifiés comme tels, étaient mis en relation avec telle boutique ou tel restaurant. On pouvait reconstituer en bonne partie les allées et venues de la femme assassinée, imaginer ses péchés mignons. Cet exercice pouvait attendre; Pharand ne démordait pas de son idée fixe: les entrées de fonds. Autant les dépenses étaient fragmentées et se référaient à une diversité de commerces et de fournisseurs, autant les dépôts étaient peu nombreux: deux identifiés par un sigle se terminant par UL, ce qui signifiait naturellement pour Pharand l'Université Laval, et un troisième portant la mention « Dépôt au GA: CPD Saint-Sacrement ». Les dépôts effectués directement dans le compte étaient tous semblables et relativement modestes: 854,37 $. Pharand, dont la paie aboutissait pareillement dans son compte personnel, déduisait assez aisément ce que devait être la rémunération brute avant que frappent les déductions à la source et que se cristallise le résidu. Conclusion péremptoire, ce n'était pas avec ce revenu que Viviane Le Guern pouvait s'offrir ce train de vie. Les dépôts effectués par guichet automatique, c'était autre chose. Sans compulser tous les relevés de compte, Pharand voyait un chiffre apparaître chaque mois avec constance : trois mille dollars. Chiffre carré, sans déduction. Presque le double de ce que Viviane Le Guern retirait d'un travail régulier sans doute lié à une recherche universitaire de nature culturelle. La voiture, le mobilier, les voyages, les vêtements ne s'expliquaient que par cet ajout régulier aux revenus du travail.

Pharand ne pouvait s'éterniser. Jongler avec les chiffres ne faisait d'ailleurs pas partie de ses passe-temps préférés. Il venait d'obtenir réponse à un de ses doutes, mais plusieurs subsistaient. Qui versait trois mille dollars par mois à Viviane Le Guern? Pour quel motif? Il jeta un coup d'œil sur le solde mensuel le plus récent. Le chiffre, compte tenu du volume des entrées de fonds, n'avait rien d'exorbitant : 2 753,45 $. Il recula de quelques feuillets pour comparer ce résultat avec celui des mois précédents. Les soldes fluctuaient, mais à l'intérieur d'une fourchette assez étroite : 1 800 $, 2 500 $, 3 200 $, 2 100 $... De deux choses l'une : ou Viviane Le Guern dépensait à peu près autant d'argent qu'elle en recevait mensuellement, ou elle accumulait sagement les excédents ailleurs que dans son compte de caisse. Les relevés de compte, si précis en matière d'achats effectués par carte de débit ou de crédit, étaient taciturnes quant à la nature des chèques; la date et le montant apparaissaient, mais rien n'affleurait de l'identité du bénéficiaire ou de la raison du paiement.

— Non, se dit Pharand en regardant de plus

près le relevé le plus récent, ce n'est pas vrai. On ne sait pas à qui vont les chèques ni pourquoi elle les expédie, mais on a les numéros des chèques.

Il n'avait pas le temps de s'immerger dans l'examen minutieux des chéquiers. Peut-être devrait-il recourir à un spécialiste des crimes économiques pour percer les petits mystères de cette étrange comptabilité. Tout en surveillant sa montre pour ne pas faire attendre Marceau à l'extérieur, il ouvrit quand même le chéquier qui trônait au-dessus des autres et avait probablement été le dernier en service. Les entrées étaient peu nombreuses. Viviane Le Guern, à la moderne, devait régler ses factures grâce aux cartes de crédit ou de débit, par Internet ou en recourant au guichet automatique. Les chèques, en tout cas, semblaient l'ultime recours. Seulement deux au cours du dernier mois, tous deux au montant de mille dollars. Tous deux à l'ordre d'une personne, d'une cause ou d'une fiducie identifiée seulement par la lettre J. Chaque mois, des entrées de fonds de trois mille dollars; chaque mois, deux chèques au montant de mille dollars chacun. Le millier de dollars manquant pouvait représenter la différence entre le salaire de Viviane Le Guern et son train de vie. Pharand, après un dernier regard sur sa montre, remit les choses en place machinalement, à deux exceptions près : le dernier chéquier et le relevé de compte le plus récent. Ces deux pièces, il les déposa au centre du pesant panneau de verre. S'il devait recourir à un spécialiste de la comptabilité, c'est d'abord cela qu'il voudrait le voir clarifier. Ce n'est pas la morte qui noterait un désordre ou une absence dans ses papiers. Et le prudent procureur était d'humeur à comprendre. Ces documents expliquaient-ils la grinçante susceptibilité de l'élégante Viviane à la moindre mention d'un héritage? Avait-elle obtenu qu'on lui verse sa part de façon mensuelle?

18

Le mercredi 2 octobre

Marceau déposa théâtralement ses prothèses de moins en moins indispensables sur le siège arrière de la voiture un peu spéciale qu'ils affublaient du sobriquet de « cage ». Comme Pharand l'avait rappelé au prudent procureur, les portières du siège arrière ne s'ouvraient que de l'extérieur ou sur commande du conducteur, et une plaque de verre inexpugnable séparait l'arrière de l'avant. Parcourir une longue route avec un agité ne posait guère de problème aux occupants de l'avant. C'était moins flamboyant qu'un fourgon cellulaire et tout aussi efficace quand un seul « colis » était en cause. Marceau referma la portière arrière et sautilla à cloche-pied jusqu'au siège voisin de celui du conducteur. Pharand se glissa devant le volant. En temps normal, c'est l'athlète qui aurait assuré la conduite.

J'ai pris mon équipement moi aussi, déclara Marceau, mais je ne serai pas d'un grand secours si notre tueur refuse de collaborer. Je commence à pouvoir me porter sur mon plâtre, mais il paraît que c'est en plein la niaiserie à ne pas faire. Le toubib m'a dit avec un grand sourire baveux qu'en voulant sauver trois jours je pourrais me retrouver avec un autre plâtre pour trois semaines. Alors, tâche d'amadouer notre batteur de femmes. Ça me fait de la peine de ne pas être à mon meilleur!

Marceau disait cela avec un sourire angélique, mais le rythme et la concentration des fermetures-ouvertures des mains signifiaient autre chose. Devant Pharand, il se dispensait d'ailleurs de toute rectitude politique et se faisait un plaisir de référer à Henri comme au tueur. Pharand tira un petit papier plié de la poche de sa chemise et le tendit à Marceau. C'était le numéro de téléphone du propriétaire de l'appartement auquel il avait parlé une heure plus tôt.

— Appelle-le-moi, s'il te plaît.

Le micro installé au haut de la portière du conducteur permettait à Pharand de converser sans lâcher le volant et à Marceau d'entendre les deux interlocuteurs. Pharand se méfiait de ces communications apparemment exposées à trop d'interceptions, mais il avait quand même un urgent besoin d'informations. Il ne donna comme identification au propriétaire qu'un rappel de la rencontre dont ils sortaient à peine. Puis, il enchaîna.

— Rien ne vous oblige à me répondre. Coupez le contact quand vous voudrez si vous êtes mal à l'aise.

Puis, sans laisser l'espace d'une réaction, il enchaîna.

— Le loyer est toujours payé par chèque?

C'était le cas.

– Chèques émis sur la caisse populaire du quartier et adressés à vous?

Toujours le même grognement.

Pharand remercia, demanda au propriétaire de n'ouvrir l'appartement à personne avant d'avoir obtenu son accord et fit signe à Marceau de couper la communication.

– Le Grand Gourou mystérieux daignera-t-il éclairer un jour son humble serviteur? As-tu peur que la morte sorte de son fleuve pour signer des chèques sans provision?

Le Grand Gourou daigna expliquer. Dans les papiers d'une élégante dame assassinée, on constate des anomalies comptables. Trois mille dollars tombent du ciel chaque mois, deux mille dollars se perdent dans le décor chaque mois. Anonymat du généreux donateur, une simple lettre - un L - pour indiquer la provenance du cadeau mensuel. Et la caisse populaire du quartier se situait, foi de propriétaire, au cœur des opérations financières de madame. Le Grand Gourou et son humble serviteur tombèrent d'accord pour conclure que les Bretons n'avaient pas seulement des chapeaux ronds, mais qu'ils pratiquaient aussi une bizarre comptabilité. Pendant qu'ils échangeaient des hypothèses qui allaient d'une rente viagère ou d'une pension alimentaire versée par l'ex-mari de Viviane Le Guern à une gentillesse de Loto-Québec, la « cage » avalait les kilomètres. Selon l'expression de Marceau, ils étaient « dans les temps ».

– D'après moi, fit Marceau, tu peux oublier l'ex de madame. Il n'a pas l'allure d'un assisté social et il a peut-être du jeu dans son budget personnel, mais il n'enverrait pas une poignée de pissenlits une fois par siècle à son ancienne flamme. Pas de gros mots, mais un iceberg non négociable.

Pharand n'avait eu aucun contact avec Asselin, mais il se fiait à l'épiderme de Marceau.

— D'ordinaire, dit Pharand, ça ne se passe pas comme ça. Quand les gens passent de l'amour à la haine, quand ils sautent des déclarations d'amour en feux d'artifice à l'envie de tuer, je les approuve et j'embarque. Quand tu as une femme et que tu la vois partir avec un autre, surtout si l'autre est encore plus insignifiant que toi, tu deviens aussi pitbull que tu as été gentil toutou et tu sais exactement comment faire mal. Ce n'est pas beau, mais il me semble que l'amour est un pendule : il monte aussi loin qu'il peut, mais quand il revient il passe vite vis-à-vis du centre. Il ne stationne pas au centre. Un extrême, puis l'autre extrême. Là, tu me parles d'un bon gars qui a aimé une femme pendant des années et qui laisse tremper son amour dans l'eau tiède.

Il se reprit en voyant le rictus de Marceau.

— Non, ce n'était pas une farce plate. J'ai dit ça sans penser une seconde à la noyade.

L'abrutissante autoroute 20 défilait. La saison était suffisamment avancée pour que les travaux de voirie soient moins envahissants. Jusqu'à maintenant, ils avaient pu maintenir une vitesse de croisière presque comparable à celle des poids lourds qui massacraient la route comme leur champ de courses privé. Heureusement pour l'œil, les arbres portaient encore une partie de leurs éblouissantes livrées d'automne. Le rouge des érables y tenait encore son rang, tandis que les paresseux mélèzes commençaient à peine à laisser jaunir leurs aiguilles. Ils se turent un instant. Marceau s'était pris au jeu.

— Continue. Tu touches à une chose qu'Asselin m'a dite ou à laquelle j'ai pensée pendant qu'il parlait, mais je ne sais pas quoi.

Pharand avait perdu le fil de ses propres élucubrations. Marceau essaya de lui venir en aide.

— Passer de l'amour à la jalousie ou au meurtre, tu comprenais cela, mais tu ne voyais pas comment un bonhomme qui a flambé pour une femme peut dire que, oui, c'était une femme sympathique et vous lui direz bonjour de ma part... Un pendule n'arrête pas au centre. C'est ça que tu disais. Et ce n'était pas complètement fou.

— Ah! Je me retrouve. D'après toi, est-ce qu'Asselin, après toutes ces années, aime encore sa femme, je veux dire sa première, Viviane Le Guern?

Marceau hésita.

— C'est fou, mais tu as peut-être raison.

Trois poids lourds de suite les dépassèrent comme un supersonique distance un piéton et les mitraillèrent des vibrations de leurs masses menaçantes. Marceau, frustré et scandalisé, notait les numéros d'immatriculation dans son calepin. Un jour ou l'autre, se disait-il avec rancune, ils auront un mort sur la conscience et je me ferai un plaisir de venir dire au coroner que je les ai vus à l'œuvre.

— J'ai été frappé, reprit Pharand, par ce que tu m'as dit d'Asselin. Pas un mot méchant au sujet de son ex, mais pas un geste non plus. Jusqu'à un certain point, ça se comprend. S'il est remarié et confortable dans sa nouvelle vie, il ne va pas risquer ce qu'il a pour une morte. Le vois-tu dire à sa femme : « Excuse-moi, chérie, mais je vais te laisser seule pour quelques jours pour aller pleurer sur mon ex? » Il a peut-être le goût de le faire, mais ce serait cruel pour sa femme et suicidaire pour leur couple s'il partait demain pour la Bretagne. Alors pourquoi dire « trop tard »?

— Trop tard, répéta Marceau. Trop tard, il m'a dit ça deux fois.

Les hypothèses se déployaient en bouquets. Au moins elles ne nuisaient pas au travail de routine qui les emportait vers Dorval. S'abandonner à elles, cette fois, ne coûtait rien.

— Trop tard, reprit Marceau, cela peut vouloir dire qu'il a laissé passer la chance de sa vie et qu'il le regrette. Dans le cas d'Asselin, c'est difficile à imaginer : il dit cela à propos d'une femme qui a été la sienne. Il n'a pas laissé passer la chance de la marier. Ça n'a pas de sens.

— Attends un peu, dit Pharand. Il gardait ses deux mains sur le volant, mais il argumentait avec les index des deux mains, en gestes miniatures. Quand il a dit et répété « trop tard », es-tu certain qu'il parlait des funérailles de sa fille? Est-ce qu'il aurait pu parler de son ex en voulant dire qu'ils auraient pu faire mieux, mais qu'il était trop tard?

— Il y a cinq minutes, riposta Marceau, je

t'aurais dit que tu en fumes du bon et qu'on peut faire des lassos avec tes hypothèses, mais je ne suis plus aussi sûr. De fait, je l'entends encore - et la paluche imitait un casque d'écoute autour de l'oreille - répéter « trop tard » et je jurerais que ça n'avait pas de rapport avec les funérailles de Marie-Françoise. Je ne sais plus. Trop tard, mais pour quoi?

— Je pense, dit Pharand, que tu étais sur une bonne piste quand tu as parlé du divorce. On ne sait pas ni toi ni moi comment ça se passe exactement un divorce, mais j'imagine que bien des gens se disent, des années en retard, qu'ils auraient pu sauver leur couple ou leur famille en donnant un petit coup de barre au bon moment. Le bonhomme qui a sauté la clôture et qui a provoqué la jalousie et la rupture doit se dire pendant des années qu'il a fait une connerie, mais c'est « trop tard » pour enfermer la libido dans une camisole de force.

— Je ne vois pas Asselin en sauteux de clôture, riposta Marceau.

— Et l'inverse? Si elle saute la clôture et que lui ne pardonne pas, il y a divorce quand même. Le bonhomme peut se dire, des années après avoir claqué la porte, qu'il n'aurait pas dû se fâcher, mais c'est « trop tard ».

Une fois de plus, Marceau commençait à trouver longuettes leurs divagations de conseillers matrimoniaux à la petite semaine. Et puis, oui, il y avait autre chose.

— Est-ce que tu ne m'avais pas dit que maman

Pharand avait pensé à nous? Moi, quelques petites carottes crues et un carton de lait, ça me conviendrait pas mal. Et toi?

— Sers-toi, le sac est derrière mon siège. Tu me donneras une pomme. Si notre client se conduit bien, on pourra ramasser quelques sandwiches pour le retour.

— Pas question, répliqua Marceau. Lui, j'ai plutôt le goût de lui tartiner du poison à rats dans ses sandwiches.

Ils venaient de dépasser Saint-Hyacinthe. D'ici peu, la circulation se ferait plus dense sous l'influence de Montréal. Ce serait pire encore quand ils rouleraient sur la Métropolitaine en direction de l'aéroport de Dorval.

— Je vais risquer le coup, dit soudain Pharand, en enveloppant dans un essuie-tout le cœur de sa pomme. Les techniciens nous ont assez dit que nos communications étaient mieux protégées qu'avant; tant pis s'ils nous ont conté des blagues. Vas-y, trouve-nous le numéro du directeur de la caisse populaire de Saint-Sacrement et appelle-le.

Le directeur allait sortir pour son lunch quand l'appel le rejoignit. Pharand n'était pas un inconnu pour lui.

— Que puis-je faire pour vous, monsieur Pharand? Vous avez la réputation d'un homme qui pose seulement les questions nécessaires et qui couvre ses sources.

Marceau, qui assistait silencieusement à l'échange, jouait du violon à pleins bras. Il tenait quand même son calepin à portée de main.

— Vous me pardonnerez d'aller droit au but. Vous me pardonnerez également d'éviter les noms propres et de vous demander d'en faire autant.

L'autre acquiesça d'un murmure.

— Je comprends. Désolé d'avoir donné votre nom.

— Dans mon cas, reprit Pharand, ça ne pose pas problème. Nous enquêtons sur la mort d'une de vos clientes. Elle est décédée à l'étranger et la nouvelle n'est pas encore connue ici. Je vous donne les trois derniers chiffres du compte qu'elle possède chez vous pour que vous sachiez où nous en sommes.

— Je vois de qui vous parlez, fit le directeur. Je ne vous poserai pas de questions inutiles sur sa mort. Accidentelle?

— Non, fit sobrement Pharand. Chaque mois, la dame déposait un chèque assez substantiel dans ce compte par l'entremise de votre guichet automatique. Êtes-vous en mesure de me donner rapidement l'identité du signataire de ces chèques? Je peux vous rappeler.

— Ce ne sera pas nécessaire. Je ne connais pas le monsieur, mais ses chèques me sont familiers. Cela dure depuis des années. Je suis bien obligé de vous donner un nom : Loïc Kervarec.

Pharand eut besoin de tout son sang-froid pour remercier le directeur de la caisse populaire tout en gardant la « cage » sur la chaussée. Pharand et Marceau se regardèrent et, pendant un long moment, ne trouvèrent rien à se dire. Tous deux avaient hâte d'entendre la réaction de Féroc.

L'ennemi public numéro un du clan Le Guern ne se contentait pas de rendre visite à Anne Le Guern et d'adresser des billets doux à la fille : il payait une véritable rente mensuelle à la fille! Une hypothèse tombait : Viviane Le Guern ne recevait pas son héritage en versements mensuels.

19

Le mercredi 2 octobre, 11 h

Yann Féroc ne savait quelle conclusion tirer. Au tableau de l'auberge, la clé de la chambre louée par Viviane Le Guern pendait toujours à son clou. Quand l'hôtelière guida le policier jusqu'à la chambre, Féroc dut s'incliner devant une désagréable évidence : oui, on avait pénétré dans la chambre avant lui. Mais comment blâmer l'aubergiste ou la femme de chambre? En l'absence de l'occupante de la chambre, il était normal de vérifier la literie, le savon odorant, le panier à rebuts. De toute façon, précisa l'aubergiste, madame Le Guern n'avait touché à rien. Lit intact, serviettes en place, verres toujours inversés et secs.

— Madame Le Guern est arrivée hier à l'heure du déjeuner. Elle a déposé son petit bagage dans la chambre et elle a tout de suite refermé la porte. Elle a demandé au chauffeur qui retournait à Rennes de la laisser en passant à la résidence de sa mère, à Pluméliau. Elle nous a remis la clé de sa chambre, la six, en sortant. On ne l'a pas revue.

— Elle n'a pas mangé?

L'hôtelière fit signe que non.

— Je pense que le chauffeur avait emporté des provisions pour la route.

Hypothèse que Féroc savait plausible, mais comment l'aubergiste en avait-elle eu vent? Ni Anne Le Guern ni sa fille ne s'en seraient vantées. Cette femme n'inspirait pas à Féroc une confiance démesurée. Elle révélerait seulement ce qu'il serait imprudent de cacher.

— Y avait-il quelque chose dans le panier à rebuts?

— Pas que je sache. Comme je vous le dis...

— Même pas le message que vous a laissé monsieur Kervarec?

— Rien. Je pense qu'elle l'a mis dans la poche de son manteau quand je le lui ai donné.

S'il y est resté, se dit Féroc, le labo va nous le dire.

— Que disait le message?

Elle n'osa pas nier qu'elle l'avait lu.

— Un numéro de téléphone. Celui du bureau de monsieur Kervarec.

— Et madame Le Guern ne l'a pas appelé de sa chambre?

Dénégation complète. Encore là, mentir eût été aventureux, car l'auberge facturait chacun des appels téléphoniques. Pressentant la question suivante, la femme eut l'habileté de la devancer.

— Mais monsieur Kervarec est venu.

— De nouveau?

— Oui. Vers dix-huit heures. Apparemment, ils avaient pris rendez-vous tous les deux, lui et elle, et il l'avait attendue pour rien. Il m'a demandé si je l'avais revue depuis son arrivée et il a laissé son numéro de téléphone de nouveau. Il a dit qu'il serait là pendant encore deux heures, jusqu'à vingt heures, puis il est reparti sur les chapeaux de roues. Tenez. Je n'ai pas eu l'occasion de le lui remettre.

Le message, de fait, portait un numéro de téléphone et la mention « jusqu'à vingt heures ».

– Votre écriture ou la sienne?

– Celle de monsieur Kervarec.

Féroc prit sur lui de simplifier la procédure. Trop de témoignages étaient disponibles pour qu'on puisse entretenir le moindre doute quant à la hâte de Viviane Le Guern : l'aubergiste ne pouvait dévier de la vérité. Elle ne s'exposerait pas à être contredite par le chauffeur et la grand-mère Le Guern. Tous deux sauraient, à la minute près, quand Viviane Le Guern était arrivée à l'auberge, puis à la résidence de la famille. Il devenait inutile de chercher la trace d'un visiteur, et les empreintes de Viviane Le Guern n'avaient aucun intérêt. Féroc tourna vers lui le bloc-notes portant l'en-tête de l'auberge.

– J'emporte avec moi la valise de madame Le Guern et le message, et je vous signe l'autorisation de remettre immédiatement la chambre en location.

Elle daigna apprécier la rapidité du geste.

Féroc mit sa voiture en marche tout en syntonisant la station de radio locale. Personne n'était entré en contact avec lui, mais la nouvelle était quand même en ondes : un deuxième meurtre avait frappé la famille Le Guern; pour la deuxième fois, le corps avait été abandonné dans les eaux du Blavet; pour la deuxième fois, la victime arrivait du Québec. Quant à l'arme du crime, il s'agissait encore une fois d'un objet contondant. Était-ce le même? La police ne le disait pas; pour cause, car on ne lui avait pas posé la question. Féroc, médusé, apprenait presque en même temps que le public que les soupçons de la police visaient encore une fois un Québécois, Fernand Henri, qui aurait eu des relations amoureuses avec Marie-Françoise Le Guern et qui l'avait relancée en Bretagne.

Après le journal, la radio, se dit Féroc. Il faudra faire savoir à Anne Le Guern que son avocat est peut-être un sympathique ami de la famille, mais un bien mauvais cerbère face aux médias. Malgré l'heure qui aurait convenu plutôt au déjeuner qu'à une visite de condoléances, Féroc se dirigea vers la résidence d'Anne Le Guern. Il devenait urgent de faire savoir à la grand-mère et à la famille entière que la police n'était en rien responsable des supputations de la presse et de la radio. Il ne fut d'ailleurs pas surpris que les premières paroles d'Anne Le Guern concernent ces fuites. À peine avait-il eu le temps de formuler de nouveau ses condoléances, à l'endroit même où il avait présenté un premier message de compassion, qu'il devait faire face à l'accusation.

— Mais qui, à part vous et vos hommes, était au courant? Maître Rocher avait à peine eu le temps de me transmettre votre message que la radio répandait ses rumeurs. Et ce Fernand Henri, l'avez-vous au moins arrêté?

La vieille dame, dans sa blancheur tragique, respirait la douleur et la colère, mais n'en perdait pas pour autant son sens de la logique. Dressée devant le policier qui ne savait sur quel pied danser, elle prenait à témoin son clan entier présent près d'elle: sa petite-fille Ariane, son gendre Michel, le vieil avocat de l'entreprise et sans doute le confident de bien des secrets familiaux... Nul ne disait mot, sauf elle. Féroc connaissait pourtant assez sa Bretagne et ses Bretons pour se méfier des silences réprobateurs par lesquels le clan soutenait la harangue de la grand-mère. Que cachaient ces visages de pierre? Qu'auraient ajouté ou retiré ces proches au plaidoyer du chef de famille et d'entreprise ou qu'en auraient-ils retiré? Personne encore n'avait invité Féroc à s'asseoir ni même à déposer la valise que Viviane avait laissée à sa chambre et que le policier avait d'abord prévu remettre à la famille. Devant une hostilité qu'il excusait à cause de l'accumulation des deuils et de l'espèce de liquidation brutale dont la mort de Viviane semblait faire l'objet, Féroc changea d'avis.

— L'arrestation de monsieur Henri n'est qu'une question d'heures, dit-il de manière délibérément équivoque. Je vous signale cependant qu'il n'est encore considéré que comme un témoin important. Maître Rocher vous dira mieux que moi ce qu'il convient de répondre aux journalistes.

— C'est clair que c'est lui, coupa, rageur, l'époux d'Ariane Le Guern.

— Tant que tu répètes cela seulement devant nous et devant monsieur Féroc, intervint l'avocat, il n'y a pas de gros inconvénient.

Habile personnage qui mettait le policier dans le secret! Féroc enchaîna.

— Je vous transmets de nouveau mes condoléances. Ce qui vous arrive est une chose horrible dont je ne connais pas les motifs, mais qui me bouleverse moi aussi. J'emporte avec moi la valise de madame Viviane Le Guern pour voir si elle contient des documents ou des informations utiles. Je vous la remettrai (il s'adressait à la grand-mère) dès que possible.

Il adressa une inclinaison de la tête en direction d'Anne Le Guern et un regard circulaire à l'auditoire familial.

— Merci, monsieur Féroc, articula Anne Le Guern. Merci malgré tout, mais trouvez vite.

Seuls indices que la dépouille mortelle de Viviane Le Guern serait exposée dans le même grand salon familial que celle de Marie-Françoise, le cercueil de la petite-fille avait été déporté un peu vers l'angle le plus éloigné de la pièce et d'autres tentures opaques avaient été elles aussi libérées de leurs cordons de velours. Féroc n'y vit pas une preuve d'affection à l'égard de Viviane Le Guern, mais une concession à d'incorruptibles convenances. La famille n'aurait pas pu exposer ses deux mortes l'une à la résidence familiale, l'autre dans un salon mortuaire. Cette rancune tenace à l'égard de Viviane Le Guern, Féroc ne se l'expliquait pas. D'autant moins qu'un même sort avait frappé la petite-fille adorée et la mère déjà oblitérée. De quoi était née cette détestation d'un membre de la famille et comment pouvait-elle s'exercer encore contre une femme émigrée depuis plus de vingt ans à l'autre bout du monde? Lui revenait en mémoire l'énigme proférée par Viviane devant Pharand et que le policier québécois avait relayée : ni pardon ni testament. Peut-être Féroc avait-il interrompu un palabre au sujet de l'héritage, mais rien ici ne respirait le pardon.

Parce que songeur et distrait, Féroc se rendit à vitesse très réduite à son bureau de Pontivy. Il obtiendrait ainsi plus aisément un aperçu préliminaire des résultats de l'autopsie, mais il espérait surtout entrer en contact avec Pharand. Il venait, en effet, de promettre, de façon d'ailleurs équivoque, la rapide arrestation de Fernand Henri et il lui tardait de savoir si d'autres que lui avaient tenu son engagement.

20

Le mercredi 2 octobre

À l'aérogare de Dorval, la « cage » s'était arrêtée le long du quai des arrivées comme en territoire conquis. Le mandat d'arrestation et les plaques d'identité des deux policiers avaient servi de sésame. Jusqu'à ce que, craignait Pharand, un petit subtil établisse le lien entre leur apparition et sa stérile conversation téléphonique avec l'agent de liaison de la Gendarmerie. Il se moquait des retombées qui finiraient par se perdre comme l'eau dans le sable, mais il priait pour que le procédurier de la Gendarmerie soit averti trop tard pour empêcher ou compliquer l'arrestation.

Fernand Henri avait souvent eu affaire à la police. Ni Pharand ni Marceau ne lui parurent déroger au style policier en vigueur. Dès qu'ils s'avancèrent vers lui à travers les îlots humains vite créés et vite dissous par les arrivants et les comités d'accueil, il se raidit, mais ne fit aucun geste inconsidéré. Les deux policiers eurent tout loisir de le séparer de la foule et de le conduire quelques pas à l'écart sans attirer l'attention. Une fois entre eux, Pharand et Marceau déclinèrent leur identité et lui demandèrent sa collaboration.

— Nous avons une voiture devant la porte et nous vous emmenons à Québec, expliqua Pharand. Aussitôt à bord, nous vous expliquons les motifs de notre intervention et vous téléphonez à qui vous voulez. Avec votre portable ou avec le nôtre. Vous avez eu les bonnes réactions jusqu'à maintenant, continuez comme cela. Tout sera clair plus vite.

Comme Pharand et Henri portaient tous deux de longs imperméables que la saison justifiait presque, il aurait fallu des yeux chafouins pour remarquer que ces deux hommes marchant d'un même pas et collés l'un à l'autre étaient rattachés par de discrètes menottes. La marge de manœuvre d'Henri était mince, sinon nulle : à sa gauche, Pharand et le bracelet de métal qui les reliait, dans sa main droite, la valise qui résumait son bagage; puis, un costaud qui ne réussissait que trop bien à faire oublier son handicap. Marceau, en effet, un peu empêtré dans ses béquilles, avait quand même entrouvert son imperméable. Son revolver faisait bosse sur sa poitrine et se profilait, haut perché.

Henri ne prononça son premier mot qu'une fois installé sur le siège arrière de la « cage ».

— Alors?

— Nous vous avons arrêté à la demande de la police française. Vous n'êtes pas encore formellement accusé, mais les Français vous soupçonnent d'assassinat. Ils nous demandent de vous interroger. Quel que soit le résultat de cet interrogatoire, la police française nous dira d'ici quelques heures, je pense, si nous devons vous garder comme témoin important ou vous inculper de meurtre immédiatement. Il se peut qu'on nous demande de vous remettre entre leurs mains pour qu'ils décident eux-mêmes. Vous avez le droit de garder le silence, et vous pouvez téléphoner à qui vous voudrez, que ce soit votre avocat ou votre père.

– Pourquoi parlez-vous de mon père? demanda-t-il.

– Parce que nous avons jeté un coup d'œil sur votre feuille de route, mon ami.

Du pur Marceau. À demi retourné sur son siège, il dévisageait Henri comme un boa fixe son prochain repas. Pharand intervint.

– Vous voyez cette manette sur mon tableau de bord? Si je la lève, le son est coupé entre l'arrière et l'avant. Vous n'avez pas de façon de le vérifier, mais c'est comme ça. Si vous voulez la discrétion pour votre conversation téléphonique, faites-moi signe.

Henri donna le signal. Pharand l'enferma dans sa bulle. Henri sortit aussitôt de son veston un téléphone portable. Comme il n'avait rien cherché dans un carnet et que la conversation semblait atteindre d'emblée une certaine vivacité, Pharand en déduisit qu'Henri avait donné préséance à son géniteur. À lui de mobiliser l'avocat. Au bout d'un instant, il frappa du doigt contre la vitre pour rétablir le contact avec les policiers. D'un mot, Pharand répondit à la prévisible question : Orsainville. L'autre ne parut pas particulièrement surpris. Sa feuille de route confirmait qu'il connaissait déjà les lieux. Comme Henri ne demandait pas d'autre renseignement, Pharand le renvoya dans sa bulle. Il souhaitait échanger discrètement quelques mots avec Marceau. Sur la Métropolitaine, la circulation était dense, mais assez fluide. Dès qu'ils auraient dépassé le croisement avec la voie d'accès au pont-tunnel Hyppolite-Lafontaine, ils pourraient accélérer la cadence. Par l'autoroute 40, ce serait l'affaire d'un peu plus de deux heures de route. Déjà, cependant, la conversation était possible.

— Il n'a même pas demandé de quel meurtre il était accusé, s'étonna Marceau à voix basse. Ça s'appelle se trahir dans les grandes largeurs...

— Les journaux, fit Pharand laconiquement.

Marceau n'en fut pas convaincu. Henri, pointé du doigt par les médias, pouvait ne pas prendre l'accusation au sérieux. Mais la police, c'est autre chose. Est-ce qu'il n'aurait pas dû demander au moins l'identité de la victime?

Toc toc à la vitre. Nouveau coup de manette.

— Mon père voudrait que l'avocat vous parle.

— Qu'il m'appelle à la centrale de police. Ils me transmettront l'appel.

— Mais il pourrait téléphoner directement...

— Qu'il m'appelle à la centrale de police, répéta Pharand d'un ton plus tranchant. Nous ne sommes pas un téléphone public.

Henri transmit l'exigence et rengaina son portable. Il se concentra sur l'ennuyeux paysage traversé par l'autoroute. Marceau jouissait. Et ce n'était qu'un bref aperçu! Le fils à papa allait goûter aux délices des ligues majeures.

L'appel ne tarda pas, relayé par la centrale de police qui préservait ainsi le numéro d'appel de la « cage ». L'avocat devait considérer le père de Fernand Henri comme un puits sans fond et le dorlotait en conséquence.

— Première chose, monsieur Lacoste. Souhaitez-vous que votre client entende notre conversation? Les deux formules sont possibles. Si vous voulez parler seul à seul avec votre client après notre conversation, libre à vous.

La conversation engloba dès lors Pharand, l'avocat et Henri, avec Marceau comme auditeur silencieux et secrétaire plus que voyant. Les questions de l'avocat étaient d'ailleurs infiniment prévisibles et ne visaient, aux yeux des policiers, qu'à offrir au client le spectacle que son père payait. Seule la référence à une accusation de meurtre le fit tiquer. Son client s'était contenté jusque-là de frasques moins spectaculaires. Il insista pour savoir si l'accusation était formellement portée.

— Je vous répondrai aussitôt que nous aurons parlé à nos correspondants français, répondit Pharand. La victime était bien connue de votre client et de nombreux témoins français affirment que monsieur Henri a été le dernier à voir la victime vivante.

L'avocat se satisfit de la réponse et confirma sa présence à Orsainville au moment de leur arrivée.

— Conseillez-vous à votre client de ne pas répondre à nos questions? demanda Pharand.

— Pourquoi ne pas attendre d'être à Orsainville pour poser des questions, monsieur Pharand?

— Conseillez-vous à votre client de ne pas répondre à nos questions? répéta Pharand.

— Monsieur Henri a le droit de se taire jusqu'à ce que je sois présent. Je lui conseille d'exercer ce droit.

— Donc, à tout à l'heure.

Henri, derrière sa vitre, aurait peut-être préféré un peu plus de distractions, mais la manœuvre de Pharand avait conduit l'avocat à plonger Henri dans un mutisme dont il n'avait guère l'habitude.

— Il va être inquiet juste à point en arrivant, commenta Marceau avec satisfaction. J'appelle Féroc?

Comme s'il considérait comme tout naturel le changement d'attitude de Marceau à l'égard du Breton jusqu'à récemment baptisé Féroce, Pharand hocha la tête. Même s'il faisait confiance à l'étanchéité du système de communication de la voiture, il limitait la conversation à l'essentiel. Moitié par prudence, moitié pour laisser Henri s'immerger dans l'incertitude. Avoir affaire à des quasimuets incite à penser que les ordres, quels qu'ils soient, viennent de haut. Ils en deviennent d'autant plus menaçants.

— À son bureau? demanda Marceau en repêchant son carnet dans la poche intérieure de son veston.

— Deux heures à notre heure, huit heures du soir chez eux, calcula Pharand à haute voix. Essaie chez lui, même si ça soupe tard, ce monde-là.

— Ça ne soupe même pas, répliqua Marceau. Ça dîne, un monsieur français!

Le monsieur français n'en était pas encore au dîner. Marceau établit le contact et s'en remit à Pharand pour la suite.

— Salut, fit Féroc d'une voix éteinte. Et le colis?

— Nous en faisons la livraison. Il faudra qu'on se reparle avec une ligne plus étanche. Peux-tu m'appeler au bureau dans deux heures? Je serai ailleurs, mais on me branchera.

— Puisque tu as le colis, tu viens de régler un de mes problèmes.

— Dure journée, Yann?

— Parmi les douloureuses, oui. Au sommet de la pyramide, on hésite entre le deuil et la colère. L'information circule un peu trop vite à son goût et on m'accuse d'être à la fois inefficace et bavard. Je ne suis certainement pas bavard. Quelqu'un ici en sait trop long.

Pharand saisit la balle au bond. Marceau, qui se demandait à quel moment Pharand ferait part à Féroc de leur découverte du matin, leva un pouce vainqueur vers le ciel. Coupé de contact avec les policiers, le « colis », sur le siège arrière, cherchait vraiment à décoder l'échange.

— J'ai quelque chose pour toi, Yann. Le deuxième palier dépensait pas mal plus que son revenu de chercheur subalterne. Pas mal plus. On a su comment elle faisait. Il y a chez vous un mécène qui lui verse, qui lui versait en tout cas, une belle grosse subvention mensuelle. Depuis des années.

— Tu m'étonnes. La plus jeune recevait ce qu'elle voulait, mais la deuxième ne gagnerait pas un prix de popularité dans la tribu.

— Change de clan, Yann. Pense au chef de l'autre clan. C'est lui qui paie.

Un silence. Féroc peinait à absorber l'information, mais ce n'était ni le moment ni le temps d'entrer dans les détails. La « cage » approchait du croisement de la 40 avec la 55. La circulation se faisait plus agressive. Pharand préféra couper court à l'échange. Jusqu'à ce qu'ils aient laissé Trois-Rivières derrière eux, il aurait besoin de toute son attention.

— Mieux vaut que je te quitte, sinon il faudra installer sur notre autoroute un des bonshommes noirs de votre ministre Sarkozy. Appelle-moi tout à l'heure avant de te coucher et ne mange pas trop d'encornets en attendant.

Sitôt la conversation suspendue, Marceau, qui s'habituait mal à abandonner la conduite automobile à son coéquipier, ajouta son grain de sel.

— On ne serait pas les seuls à devenir des affiches noires. C'est ici que quatre policiers se sont tués à cause d'une cuite.

Ils ne mirent que quelques minutes à dégager une même interprétation de la conversation. Le premier assassinat avait profondément chagriné la grand-mère, mais le deuxième avait suscité une tout autre réaction: on pleurait nettement moins. Comme la pyramide des trois générations obéissait sans un flottement à l'autorité d'Anne Le Guern, un fait s'imposait: l'affection de la grand-mère, pour motif inconnu, avait contourné sa fille pour privilégier la petite-fille. Le clan entier avait suivi, du moins en apparence. Le déséquilibre semblait aller plus loin: sincère attachement à Marie-Françoise, plus que de la froideur à l'égard de Viviane. D'autre part, Féroc se plaignait d'être constamment devancé au chapitre de l'information. Cela était déjà patent quand *Nord-Ouest* s'était fait un malin plaisir de claironner les préférences de la grand-mère pour l'une de ses deux petites-filles. Féroc venait de faire allusion à de graves coulages d'information, mais ni Pharand ni Marceau n'avait la clé de l'énigme.

— Chose certaine, affirma Marceau, la référence à l'autre clan l'a jeté dans les transes.

On verrait tout à l'heure.

— Ton impression sur le colis? demanda Pharand sans transition.

— Rien de précis. Il n'a pas l'air inquiet et ça me mystifie. On a beau avoir un père en forme d'essuie-tout, il n'y a personne d'assez fou pour penser qu'un meurtre, ça s'efface.

Pharand approuvait. Marceau continua.

— Fou à dire, mais je ne sais pas si ce gars-là tuerait à chaud ou à froid. D'ordinaire, je regarde un gars qui a tué et je suis capable de dire, sans que le zigoto me dise un mot, si le bonhomme carbure au calcul ou à la crise. Disons qu'un gars veut tuer sa femme. Il y en a qui vont péter les plombs d'un coup sec un bon soir et zigouiller bobonne. Il y en a d'autres, ils sont aussi dangereux, qui vont planifier un assassinat tordu et le maquiller en accident. Tu me montres un tueur et je te dis en criant ciseau si son genre, c'est le meurtre hypocrite ou le meurtre tremblement de terre. Lui, c'est bête, je ne le sais pas.

Pendant qu'il s'aventurait dans une zone psychologique peu familière, Marceau n'avait cessé de jeter des coups d'œil rapides sur le colis, comme s'il espérait surprendre un secret au moment où l'autre baisserait sa garde.

— J'arrive à la même conclusion que toi, fit Pharand, mais par un autre chemin. D'un côté, ce gars-là n'a jamais été capable de voler cinq piastres sans se faire prendre. En ce sens-là, tu pourrais l'asseoir sur le même banc que tes énervés. Et cela se produit même à propos de choses graves. Si sa blonde le plaque et s'en va, le monsieur ne fait pas une dépression. Il saute dans le premier avion et va lui faire une crise, c'est le cas de le dire, devant toute sa parenté bretonne. C'est du culot et ça ne remporterait pas un prix de planification stratégique. Il sort de là avec une banderole au-dessus de la tête : le coupable, c'est moi. Pas très subtil!

— Donc, pour toi, c'est un meurtrier impulsif?

— Non, je dis que je suis aussi incertain que toi. Oui, c'est un impulsif, nous sommes d'accord. Mais je pense, et toi aussi, que le monsieur est capable de se payer la tête du monde. Regarde-le.

Calcul ou décalage horaire, le résultat était le même : Henri avait converti sa petite valise en oreiller et s'y était enfoncé la tête. À aucun moment, Marceau ne l'avait vu ouvrir un œil. Il surpassait le chat qui rassure et piège la souris en jouant la somnolence.

— Pas de résistance même s'il ne pouvait prévoir que nous serions là. Aucune question, même s'il en a forcément plein la tête. Il suit les conseils de son avocat comme si ce n'était pas de sa peau qu'on discutait. Il a son portable, mais il ne demande pas à s'en servir. Il pense peut-être que nous pouvons intercepter ses conversations, mais il se laisse faire.

— Peut-être qu'il dort tout simplement! fit remarquer Marceau.

— Vrai, mais il ne dormait quand même pas en débarquant. Non, écoute, je dis la même chose que toi: il a un côté bébé gâté, mais il est visiblement capable de se construire une carapace et de mesurer chacun de ses gestes.

— Toi non plus, tu ne sais pas quel genre de meurtrier c'est?

— Je ne suis même pas certain qu'il soit capable de tuer. Peut-être que le bébé gâté devient prudent et calculateur quand les enjeux deviennent importants.

Ils arrivaient à la prison d'Orsainville. Vaste quadrilatère plat et laid, heureusement assez bas pour ne pas trop attirer l'attention. La végétation faisait d'ailleurs de son mieux pour avaler la silhouette trapue. Comme Pharand garait la voiture à proximité de l'entrée principale, Henri ouvrit les yeux et se redressa. Il allongea les bras, se croisa les mains et s'étira comme au sortir d'un sommeil réparateur. Marceau descendit de la voiture et attendit que Pharand soit à côté de lui avant d'ouvrir la portière arrière. En dépit de leurs savantes analyses, ils demeuraient prudents. Une fois encore, Henri se laissa passer les menottes sans broncher. Si Marceau avait espéré qu'une période de silence rendrait Henri « fébrile à point » ou nerveux, son calcul s'avéra futile. Pas complètement cependant, car, dans un geste faux, Henri se massa longuement les poignets dès qu'il fut libéré des menottes. Il n'avait pourtant porté les gentils bracelets que pendant les dix mètres entre la voiture et la salle d'accueil... Une vocation théâtrale ratée, pensa Pharand. Peut-être plus subtil que je pensais.

De toute évidence, Henri n'en était pas à sa première visite à Orsainville. Il n'exprima aucune surprise au cours des formalités d'inscription à la feuille d'écrou. Le préposé attendait qu'elles soient terminées pour transmettre un message aux policiers.

— Maître Lacoste vient d'arriver. Il vous attend.

Il s'adressait à Pharand. Henri n'était pour lui qu'un numéro. Lacoste portait élégamment sa cinquantaine. Imperméable foncé délicatement jeté sur l'avant-bras, complet anthracite, la cravate sobre et interchangeable. Prêt à plaider ou à se présenter aux réceptions mondaines. Il ne s'avança pas suffisamment des policiers pour que se pose le problème de la poignée de main. Il eut simplement un « prompt rétablissement » à l'adresse de Marceau. Il serra cependant la main de son client, même si Henri semblait peu porté aux salamalecs, et le guida vers un angle de la grande table carrée.

— Alors, monsieur Pharand?

La voix n'agressait pas, mais elle exigeait. C'était de bonne guerre.

— Nous voulons interroger monsieur Henri au sujet d'un meurtre commis en France, en Bretagne pour être plus précis.

— Vous l'accusez de meurtre, monsieur Pharand?

À l'exception d'Henri, et encore, ils étaient tous pleinement conscients de sacrifier à un cérémonial. La question prévisible ouvrait la voie à une réponse tout aussi attendue. Seul avantage du rituel, la procédure rodée par des milliers de rencontres semblables mettait les parties au diapason, du moins quant aux enjeux. Même les duels les plus fougueux commençaient dans le respect des usages. A fortiori si cela pouvait impressionner la galerie ou le client.

— Je vous répondrai d'ici demain. Tout dépendra des réponses de monsieur Henri et des instructions que je pourrais recevoir de la police bretonne.

Tout cela allait de soi. Comme d'ailleurs la suite.

— Voici les faits sur lesquels nous pourrions nous entendre, je pense. Cela vous permettra, monsieur Lacoste, de vous familiariser avec le dossier.

L'avocat accepta avec d'autant plus de bonne grâce qu'il ignorait tout de l'affaire et répugnait aristocratiquement à s'avancer dans le noir.

— Monsieur Henri fréquentait une jeune fille

du nom de Marie-Françoise Le Guern. De mère bretonne et de père québécois, Marie-Françoise Le Guern habitait Québec depuis sa naissance. Sa mère avait immigré ici il y a une bonne vingtaine d'années juste avant son mariage. La jeune fille terminait des études universitaires en gestion des affaires. Tout récemment, une rupture est survenue entre mademoiselle Le Guern et monsieur Henri. Nous ne connaissons qu'une partie des détails.

Pharand venait de capter l'attention d'Henri. Le terme de rupture, que Pharand avait utilisé comme un projectile, l'avait atteint de plein fouet. Pharand prévoyait une riposte.

— Mademoiselle Le Guern, poursuivit-il, a alors quitté Québec pour aller séjourner chez sa grand-mère bretonne qui dirige là-bas une grande exploitation agricole. Monsieur Henri, en apprenant ce départ, a décidé de se rendre lui aussi en Bretagne pour obtenir des explications de Marie-Françoise Le Guern. Quand il s'est présenté chez la grand-mère, la famille discutait de régie interne et on l'a éconduit. Mademoiselle Le Guern a cependant accepté de rencontrer monsieur Henri le lendemain soir. Votre client s'est présenté comme prévu le lendemain soir et ils sont partis ensemble, mademoiselle Le Guern et lui. La famille n'a pas revu monsieur Henri, mais, le lendemain, on a trouvé le corps de mademoiselle Le Guern qui flottait dans le fleuve de la région, le Blavet. Tel est l'essentiel.

Pendant tout l'exposé, le regard de l'avocat s'était promené de Pharand à Henri et retour. Les deux policiers, quant à eux, n'avaient pas quitté Henri des yeux. Quand Lacoste s'aperçut que son client ne contestait pas le compte rendu, il le commenta en termes classiques.

— Si c'est tout ce que vous avez, monsieur Pharand, vous manquez de raisons pour détenir mon client. Quelqu'un l'a-t-il vu tuer mademoiselle Le Guern?

Pharand mit ses mains à plat sur la table et concentra son attention sur l'avocat.

— Ne perdons le temps de personne, monsieur Lacoste. Nous avons d'excellentes raisons de poser des questions à votre client. S'il ne répond pas à notre satisfaction, il se peut que nous passions ou que la police bretonne passe à l'inculpation. Si cela arrive, nous vous dirons alors sur quoi se base l'inculpation. À l'heure actuelle, c'est à votre client de répondre aux questions, pas à vous d'en poser.

Le silence de Lacoste s'intégra lui aussi dans le cérémonial. L'avocat avait présenté l'objection attendue, le client avait pu apprécier la stratégie de son défenseur, on approchait des vraies questions. Pharand enchaîna, tourné vers Henri.

— Pourquoi êtes-vous allé en Bretagne?

— Comme vous l'avez dit, je voulais des explications

— Des explications de quelle nature?

— Sur ses projets. Sur nos projets.

L'ajustement avait son importance. Quoi qu'ait pu dire Marie-Françoise Le Guern à son ancien amant, il ne considérait pas comme impossible une reprise de leurs relations. Tête de pioche? Amoureux aussi attaché que n'importe quel autre? Pharand se remémorait l'échange qu'il venait d'avoir avec Marceau : Henri était-il tour à tour assez impulsif pour provoquer une rupture et assez réfléchi pour moduler ensuite son comportement?

— Quels projets aviez-vous en commun?

Lacoste flaira le côté perfide de la question et avança le buste imperceptiblement, juste assez pour faire sentir sa vigilance à Pharand. Henri hésita. Pharand accrut la pression.

— D'après mes informations, Marie-Françoise Le Guern se préparait depuis des années à assister puis à remplacer sa grand-mère dans la gestion de l'entreprise familiale. Est-ce que cela faisait partie de vos projets communs?

Henri biaisa.

— Cela faisait partie des explications qu'on devait avoir...

— Monsieur Lacoste, vous voyez la situation. Deux jeunes cherchent à s'entendre sur des projets communs. Ils rencontrent des difficultés. Votre client préférerait vivre dans son décor habituel et proche des voitures, Marie-Françoise veut se conduire en patronne dans un milieu rural à l'autre bout du monde. Ils se sont expliqués, mais pas à la satisfaction de monsieur Henri. Quand ils s'expliquent encore une fois à l'insistance du monsieur, se peut-il que le ton monte et que le pire se produise?

— Scénario Harlequin, monsieur Pharand. S'il

fallait que les amoureux s'entretuent chaque fois que leurs explications sont insatisfaisantes, on manquerait d'espace dans les cimetières.

— Je retiendrai un autre scénario, monsieur Lacoste, tant que votre client ne nous aura pas dit comment s'est terminée la dernière séance d'explications et pourquoi il a continué à circuler plusieurs jours en Bretagne au lieu de revenir directement au Québec.

— Aller coucher au Mans, puis revenir à Rennes, ce n'est pas le chemin le plus court entre Pluméliau et Paris, interpella Marceau. Quand on tourne le dos à Paris et qu'on revient à Rennes, on est à environ une heure de Pluméliau. Pour d'autres explications encore?

Lacoste et Henri furent tous deux estomaqués, mais pas pour les mêmes raisons. L'avocat, dérouté par des références géographiques peu familières, mais dont il entrevoyait l'aspect menaçant, retenait surtout que son client était demeuré un peu trop longtemps à proximité de la famille Le Guern. Pour Henri, c'était autre chose: il était frappé de l'ampleur et de la précision des informations déjà recueillies par la police. Sans sortir du Québec, ces flics l'avaient pisté comme un lièvre.

— J'ajoute une précision pour que vous retrouviez la parole, monsieur Henri. Votre voiture de location a été mise à l'écart à Charles-de-Gaulle, à la demande de la police bretonne. Au cas où des indices s'y trouveraient.

— Un instant, monsieur Pharand. Il faudrait vous brancher. Si mon client, comme vous le laissez entendre, a commis un meurtre dans ce village breton, pourquoi serait-il demeuré dans la région? N'est-ce pas la preuve de son innocence?

— Peut-être, monsieur Lacoste, peut-être. Mais, alors, expliquez-moi cet entêtement à demeurer proche des lieux du crime.

Henri sollicita du regard auprès de son avocat le droit de courir un risque.

— On s'est quittés en mauvais termes. J'ai laissé Marie-Françoise sur le bord de la petite rivière. Je me suis dit: « Qu'elle s'arrange! » J'étais furieux. Je n'ai pas calculé ma vitesse, mais je me suis retrouvé à Le Mans avant d'avoir cessé de sacrer. J'ai couché quelque part à Le Mans. Le matin, en lisant le journal, j'ai appris que Marie-Françoise avait été assassinée. Il était question de moi comme meurtrier. Je ne savais plus où aller. À l'aéroport, on m'arrêterait. J'ai décidé de retourner en Bretagne pour voir de plus près si la police trouvait le coupable.

Lacoste était plutôt fier de son client. Il considérait même comme un atout la naïveté qu'étalait Henri en réduisant un fleuve français à une petite rivière et en disputant au Mans le droit de renoncer à son article.

— Comment avez-vous fait pour retrouver votre compagne chez sa grand-mère?

— Facile, riposta un Henri réconforté par le sourire de son avocat. Marie-Françoise m'a si souvent parlé de sa grand-mère et de ses terres de Pluméliau que j'ai fini par savoir à peu près où c'était. Quand je suis arrivé là-bas, on m'a donné l'adresse comme si j'avais demandé le chemin du stade olympique.

Pharand n'aimait pas la tournure que prenait un interrogatoire qu'il prévoyait facile et incriminant. Henri ne lui inspirait aucune sympathie et les sentiments que dissimulait péniblement Marceau n'étaient sûrement pas plus amicaux. Il devait pourtant admettre que les réponses d'Henri n'étaient pas invraisemblables. Il reprenait même du pic à mesure qu'ils le pressaient de questions. Non seulement Marceau et Pharand n'avaient pu déterminer entre eux à quelle catégorie de tueurs se rattachait Henri, mais ils savaient moins que jamais si Henri avait l'étoffe d'un assassin. Il n'était pas dans la nature de Pharand d'inventer des preuves ni de présumer la culpabilité d'un prévenu.

— Merci d'avoir commencé à parler, monsieur Henri. Nous vous gardons quand même à Orsainville pour la nuit. Dès que la police bretonne aura terminé l'examen de votre voiture de location et l'interrogatoire de certains témoins, vous connaîtrez leur décision et la nôtre. Ce sera une inculpation ou une libération. Vous remarquerez, monsieur Lacoste, qu'à aucun moment nous n'avons porté une accusation contre votre client et que nous avons veillé à ce qu'aucune fuite ne porte atteinte à sa réputation.

L'avocat ne répondit pas. Jusqu'à maintenant, sa position auprès du riche monsieur Henri père était renforcée.

21

Le mercredi 2 octobre

— Si ce fumier-là est innocent, protesta Marceau en jetant ses béquilles contre sa chaise, moi je m'appelle mère Teresa. Un peu plus et tu présentais tes excuses. Bon Dieu, André, la fille a quand même été assassinée par cet écœurant-là!

— Assassinée, aucun doute. Par ce gars-là? Tu admettras que tu ne savais pas comment le juger il y a une heure à peine.

— Ne charrie pas, André. Si tu veux qu'on encule les mouches, je vais te répéter que je ne sais pas si notre fils à papa a commis un crime passionnel ou un meurtre prémédité, mais je ne me demande pas si c'est un meurtrier.

— Pourquoi es-tu si certain, Jean-Jacques? Oui, c'est un suspect. Oui, il me déplaît souverainement. Mais on ne peut pas monter au front en disant: « Votre Honneur, c'est un monsieur très désagréable. Condamnez-le pour meurtre! »

La sonnerie du téléphone sur le bureau de Pharand intervint comme à point nommé. Féroc, bien sûr.

— Salut, André. Est-ce que ton collègue Jean-Jacques participe lui aussi à notre joyeux colloque?

— Bonjour ou bonsoir, Yann. Je ne sais plus. Quatre heures et demie chez nous, chez toi, c'est le soir. Dix heures et demie? Oui, Jean-Jacques est là et il va t'embrasser si tu lui permets de mettre Fernand Henri en pièces détachées.

— Bonjour, monsieur Féroc. Comme d'habitude, André exagère. Moi je ne veux pas de mal à Henri. Je voudrais simplement l'enfoncer dans un mur de granit et peinturer en jaune orange par-dessus. Cela m'épargnerait une séance chez le psy, vous comprenez? Si vous ne comprenez pas, c'est parce que vous ne l'avez pas vu de proche.

Le Breton rigolait doucement.

— Ça finit bien une journée de rencontrer des gens qui ont un bon moral. Qu'est-ce que je dois comprendre? Est-ce qu'Henri s'est mis à table?

Ce fut l'affaire d'un instant de renseigner Féroc. Au grand déplaisir de Marceau, le Breton aussi estimait qu'Henri donnait aux faits une interprétation défendable.

— Est-ce que c'est l'âge qui vous donne l'estomac pour avaler des couleuvres? demanda Marceau d'un ton qui allégeait la verdeur du propos. Admettons qu'il pourrait convaincre un juge aussi vieux que vous deux! Bon, d'accord, je n'ai rien dit...

— Pendant que j'y pense, Yann, dit Pharand qui feuilletait son calepin, tu vas devoir appuyer un de mes coups de bluff. Pour désarçonner Henri, je lui ai dit que sa voiture de location faisait l'objet d'un examen mur à mur.

— L'idée est excellente, André, mais laisse-moi

le temps de trouver chez qui Henri a loué sa voiture.

— Il l'a prise chez Avis à Charles-de-Gaulle et il l'a remise au même endroit ce matin, intervint Marceau sans un trémolo dans la voix. Dossier PK14742.

— J'imagine que vous savez aussi combien la location lui a coûté en euros?

— Quand avez-vous besoin de l'information? demanda Marceau, sérieux comme un évêque, avant de pouffer.

— Il faudra que ce jeune homme complète mon apprentissage, conclut Féroc complètement sidéré. Je finis par me demander si je ne suis pas sourd et aveugle! De toute façon, merci du raccourci, mais j'ai peur qu'il soit trop tard.

Chacun des trois passait ses notes en revue.

— Vas-y, mon Yann, fit Pharand: parle-nous du mécène breton qui faisait vivre Viviane Le Guern.

— C'est encore un coup de ton jeune surdoué, ça?

— Non, répondait Marceau, celle-là vient de mon vieux coéquipier. Il lui arrive d'avoir de la chance.

Pharand résuma l'affaire en quelques mots: trois mille dollars par mois versés au compte de Viviane Le Guern par les soins de l'ennemi numéro un du clan, Loïc Kervarec.

— Ça, insista-t-il, je le tiens du directeur de la caisse populaire avec laquelle transigeait Viviane Le Guern. Source impeccable. Pas du tout le genre de monsieur à changer la place du point dans un chiffre. Le fait est indiscutable, mais tu devras nous expliquer ce que cela veut dire.

— J'aimerais vous éclairer tous les deux, André, mais vous m'embarqueriez dans un canular que je ne serais pas plus mystifié. Kervarec a tout fait pour bouffer l'entreprise Le Guern. L'offensive a commencé du temps de son père, mais le fils Loïc a pas mal augmenté la pression. Une journée il achetait l'entreprise, le lendemain il la ruinait. Cela, c'est connu de tout le monde. Puis, le voilà aux petits oignons pour deux des femmes Le Guern : il va voir la grand-mère avant que commencent les visites de condoléances et il laisse son numéro de téléphone à la chambre de Viviane à Saint-Nicolas-des-Eaux. Déjà, ça ne m'entrait pas dans la tête et je vous l'ai dit. Alors laissez-moi vous dire que votre histoire de rente secrète versée à Viviane, ça crève mon dinghy.

Pharand vit Marceau prendre une note : Jean-Jacques vérifierait très prochainement le terme.

— Chantage? demanda Marceau.

— C'est sûrement une possibilité, mais si cela dure depuis des années, quel rapport avec l'assassinat de Marie-Françoise ou la visite de Kervarec à Anne Le Guern?

— Il y a autre chose, dit Pharand. Nous étions trop pressés pour que je pose la question au directeur de la caisse. Je vais me reprendre tout à l'heure s'il n'est pas parti. Le plus étrange, Yann, c'est qu'à chaque mois Viviane Le Guern, pour un motif que j'ignore, retire deux mille dollars de son compte en deux coups et expédie ce montant à une destination que son chéquier identifie seulement par un J.

— Elle reçoit trois mille et en reverse deux mille?

— Attention! Je ne sais pas, du moins pas encore, si Viviane Le Guern déplaçait cet argent d'un compte à un autre, si elle investissait dans une fiducie quelconque ou si elle versait la somme à une personne. J, ça peut vouloir dire n'importe quoi ou n'importe qui.

— Ça peut vouloir dire elle-même, intercala Féroc.

— Ça peut vouloir dire elle-même, admit Pharand. Ce qui est clair, c'est qu'elle conservait un millier de dollars pour ses dépenses personnelles. Alors, j'ai l'impression qu'elle disposait librement de l'ensemble du montant. Je ne crois pas que le directeur de la caisse populaire nous fasse des difficultés. Mais il n'est pas impossible que les chèques de Viviane Le Guern aboutissent à un compte protégé par l'anonymat. À quoi penses-tu?

— C'est le vide total dans ma tête, André. Je vais interroger Kervarec demain matin. Il revient un peu trop souvent dans notre affaire. Je vous reparlerai tout de suite après.

— Je note l'échange, résuma Pharand. Mon directeur de caisse contre ta rencontre avec Kervarec. Ça devrait être intéressant.

— Et votre laboratoire? coupa Marceau. Qu'est-ce qu'il dit de l'outil qui a défoncé le crâne de Marie-Françoise?

— De ce côté-là, le portrait se précise. Le médecin estime qu'un coup a suffi. Un bon bras, une force assez considérable, mais c'est trompeur, parce que c'est l'outil qui fait le travail. C'est un marteau de fabrication industrielle qui se vend dans des grandes surfaces, mais qu'on ne retrouve quand même pas dans tous les coffres à outils. C'est un marteau à deux têtes symétriques, pas le type de marteau qui présente une tête d'un côté et un arrache-clou ou une pointe de l'autre.

— Un outil de forgeron? demanda Marceau qui s'apprêtait à dessiner l'instrument dans son carnet. Un gros marteau lourd pour marteler le fer rougi au feu? Ou un marteau de débosselage?

— D'après moi, les deux sont possibles. Je vous envoie une photo par fax. Nous devrions identifier le fabricant ou le vendeur dès demain. On verra ensuite si cela nous rapproche du nom de l'acheteur. Chose certaine, c'est l'arme du crime. L'eau du fleuve a enlevé le plus gros du sang, mais le laboratoire a quand même pu reconnaître le sang de Marie-Françoise.

— Bon, fit Pharand, sensible à la fatigue qui affleurait dans la voix de son ami, nous te laissons dormir. Espérons qu'Avis n'a pas envoyé aux douches la voiture louée par Henri et que tu trouveras quelque chose. Sinon, l'avocat d'Henri peut aussi bien ébranler le juge dès demain et obtenir la libération de son client. C'est un vieux pro et les juges y font attention.

— Ce serait un beau tollé dans les médias bretons, André. Aie pitié de moi!

— Est-ce qu'on soupçonne Henri d'avoir aussi commis le deuxième meurtre?

— Pour nos gens, cela va de soi. Avant que votre Québécois se pointe, la Bretagne était paisible. Depuis son arrivée, c'est deux meurtres par semaine. Faut nous comprendre! acheva-t-il d'un ton un peu désabusé.

— Tu as sûrement fait les mêmes calculs que nous, Yann. On sait qu'Henri avait le temps de commettre le deuxième meurtre avant de se rendre à l'aéroport, mais il n'avait pas de raison d'en vouloir à la mère et, en plus, ce ne peut pas être la même arme du crime. Quelqu'un a pu profiter du premier crime pour faire porter le chapeau à Henri, non?

— Possible, André, possible. Pas la même arme, puisque la première est au laboratoire, mais un instrument du même type et le même genre de coup à démolir un pylône. Remarque qu'Henri pouvait en vouloir à la mère s'il s'est mis dans la tête que c'était elle l'obstacle à ses amours.

Marceau intervint.

— Oui, Henri est le genre d'énergumène qui exige des explications de tout le monde et qui se fâche quand il les a reçues. Il s'est peut-être fâché une deuxième fois.

Pharand ne réagit pas.

— Juste un instant, Yann. Je sais que tu penses déjà à ton lit. Tu as dans tes traces quelqu'un qui en sait trop long pour ton goût. L'as-tu encore senti dans ton dos? As-tu pu l'identifier? Pensais-tu seulement à un journaliste?

— Tu ne feras jamais un bon enquêteur, André, si tu continues à poser plusieurs questions en même temps.

— Touché, ma tête de Breton! Vas-y, mets mes questions en ordre.

— Non, je n'ai pas identifié mon extralucide. Non, je ne peux pas cibler un journaliste en particulier, parce que tous les médias sont subitement devenus des devins. J'en avais un en tête, celui de *Nord-Ouest,* mais ceux de la radio et de la télévision ont commencé eux aussi à se loger dans mes sabots. C'est donc quelqu'un qui les renseigne et ce quelqu'un est tellement proche de moi qu'il lit dans mes pensées.

— Dans tes services ou dans la famille Le Guern?

— Je pensais plutôt à la famille, mais j'en arrive à me méfier de tout le monde. Même autour de moi, même si je connais tout le monde depuis des années. C'est dur pour l'amitié, je te jure. Et je suis bien obligé de m'intéresser à Kervarec. Essayez de me gagner un peu de temps.

— Comptez sur moi, conclut Marceau.

— Dors bien, Yann, ajouta Pharand. Pour ne pas déprimer Féroc, il préférait ne pas lui confier que les preuves contre Henri avaient perdu du poids à ses yeux. Pour d'autres raisons, il ne s'en confessa pas non plus à Marceau.

22

Un deuxième corps dans le Blavet; l'enquête bafouille

Pontivy, le jeudi 3 octobre. – La malédiction qui pèse sur la famille Le Guern a continué sa dévastation. Quelques jours à peine après la découverte dans le Blavet du corps de la jeune Marie-Françoise Le Guern, 23 ans, on a, en effet, repêché celui de sa mère, Viviane Le Guern, 43 ans, à quelques centaines de mètres en aval. D'après les premières expertises, le meurtrier aurait procédé de la même manière pour ses deux crimes.

La police avoue ne pas avoir réussi à intercepter à temps le Québécois Fernand Henri sur lequel portaient ses premiers soupçons. L'homme, qui fut le dernier à voir Marie-Françoise Le Guern vivante et qui était toujours en France au moment du second meurtre, a pris l'avion pour Dorval (Montréal) tôt hier matin. Dès son arrivée, il a été arrêté par la police canadienne. Comme les deux meurtres ont été commis en France et que le suspect et les deux victimes possèdent la citoyenneté canadienne, on peut craindre que les négociations entre les autorités des deux pays compliquent une affaire qui l'est déjà passablement.

Nous ne pouvons qu'adresser de nouveau nos plus sincères condoléances à cette famille bretonne si durement éprouvée.

Nord-Ouest, section de Pontivy

23

Le jeudi 3 octobre

Féroc, malgré tout, avait passé une assez bonne nuit. Il préférait manger à la toute fin de sa journée, en racontant ses trouvailles et ses craintes à Sophie, mais il ne tenait quand même pas à quitter la table à minuit et à se coucher sur un estomac chargé. Ce soir, il en avait eu beaucoup à dire, plus souvent sur un ton interrogatif qu'emporté par l'enthousiasme. Sophie, qui n'était jamais allée au Québec, sentait son homme revigoré par ses échanges avec Pharand, un pote, disait-il, comme il en aurait voulu un près de lui « par tous les temps ». Ils avaient bien rigolé tous les deux, Sophie peut-être encore plus que Yann, à l'étalage des informations recueillies à distance par le jeune surdoué. Marceau aurait été surpris de se savoir l'objet d'éloges de la part d'un couple de Français qu'il n'avait jamais vu. « L'animal! » avait conclu Féroc avec admiration.

— Tu vas trouver ça drôle, ma douce, avait dit Féroc sans transition en réorientant sa chaise de cuisine pour s'attaquer enfin au repas, mais c'est un jour où j'aimerais avoir quatre-vingts ans.

Sophie se borna à ériger un sourcil en accent circonflexe. Quand Yann tenait des propos bizarres, elle faisait silence et attendait.

— Oui, insista-t-il, quatre-vingts ans. Mais pas pour longtemps. Juste le temps d'assister aux débuts de la chicane entre les deux clans.

— Les Le Guern et les Kervarec?

— Hum hum. Anne Le Guern me regarde comme un écolier qu'elle peut réprimander et à qui elle peut cacher n'importe quoi. Je n'étais pas là quand leur exploitation a débuté et ça se peut qu'elle en profite. Kervarec, lui, fait presque partie de ma génération, mais il a commencé dans la vie à trois mètres au-dessus de moi. Son père était passé avant lui. C'est comme s'il avait toujours eu des haubans pour tenir son mât bien solide. Si j'avais quatre-vingts ans - juste pour une heure! -, je saurais comment les entreprises ont commencé et pourquoi les relations ont été si mauvaises entre les deux clans.

Sophie, le front luisant, la croupe agitée, menait de front ses deux activités. Elle n'omettait pas un tour de spatule et ne laissait sans commentaire aucune remarque de son Yann.

— Pourquoi ne pas tailler le bout de gras avec la vieille Angélique?

— Angélique Budoc?

— Elle pourrait te prêter quatre-vingts ans et il lui en resterait encore quelques-uns.

— Elle n'est pas morte? Elle était déjà vieille quand j'étais gamin.

— Vérifie, conseilla Sophie, en déposant le

plat de crêpes de sarrasin à côté du muscadet que Féroc avait entamé.

L'idée plaisait à Féroc, de plus en plus à mesure que Sophie précisait sa suggestion. Aux dernières nouvelles, Angélique Budoc habitait à Bieuzy dans une résidence pour personnes âgées encore autonomes. Elle avait quelque chose comme quatre-vingt-huit ou quatre-vingt-dix ans et se faisait une religion de conserver par pleins spicilèges toutes les coupures de presse qu'elle avait pu recueillir sur ses anciens élèves. Et Dieu sait si *Nord-Ouest* publie par pleines pages des photographies d'intérêt strictement régional. Si quelque chose de précis avait causé une mésentente éternelle entre les Le Guern et les Kervarec, on pouvait parier que l'ancienne maîtresse d'école en avait ressenti la secousse. Les faits devaient dormir dans sa mémoire, intacts.

Aucune enquête récente n'avait dernièrement conduit Féroc à Bieuzy. Il le regrettait presque en se reconstituant mentalement le décor. Beau village partagé dans ses loyautés. Un clocher moderne jouait la sentinelle et attirait de loin l'attention. À ses pieds ou presque, un monument tape-à-l'œil et patriotard détonnait dans un environnement racé. Il rappelait les noms des soldats tués pendant les guerres modernes, mais empêchait d'apprécier la beauté et la culture pour lesquelles ils étaient tombés. Ici et là, les vieilles pierres persistaient, de même que d'étonnants puits sculptés. Féroc imaginait Angélique Budoc trottinant dans les petites rues aux lenteurs entêtées et préservant elle aussi la mémoire.

— Elle doit avoir à peu près vingt ans de plus qu'Anne Le Guern, précisa Sophie. Elle lui a peut-être enseigné à elle et au père de Loïc Kervarec. Paraît-il qu'elle a l'œil pour reconnaître ses petits chenapans même s'ils ont perdu leurs cheveux et gagné du volume.

Et la Sophie, dont les avant-bras ne souffraient pas eux-mêmes de rachitisme, de dessiner dans l'air d'amples courbes qui illustraient l'évolution des silhouettes. Féroc, le poil dru et l'abdomen peu inflationniste, ne se sentit pas visé et sourit de la description. Il se promit un pèlerinage à Bieuzy et une consultation auprès de l'ancienne institutrice. Les crêpes étaient bonnes et le muscadet convaincant. Sophie et Yann entrèrent dans la nuit en se rappelant leurs jours d'écoliers.

Au matin, la résolution lui parut toujours aussi heureuse. Il hésita cependant: Kervarec et Angélique Budoc sûrement, mais qui en premier? Il opta pour Kervarec. Pour la première fois, il pénétrerait dans le bureau central de l'entreprise pourtant située au cœur de Pontivy et donc à deux kilomètres à peine de sa propre résidence. Ne sachant ce qui allait sortir de l'entrevue, il préférait ne pas relancer Kervarec à domicile. Depuis toujours, il répugnait à agresser les familles en même temps que les prévenus. Une personne peut pardonner l'erreur policière commise à son détriment, mais comment effacerait-elle de sa mémoire l'humiliation infligée à sa famille par une intrusion policière erratique? Les familles valent mieux que bien des chenapans, avait-il coutume de répéter. Il put garer sa voiture à proximité du Blavet, dans un terrain de stationnement étonnamment achalandé. Un flanc du terrain donnait sur le fleuve, l'autre sur une de ces rues rectilignes tracées par les ingénieurs de Napoléon. En tournant le dos au fleuve, on entrevoyait, dépassant les toits des maisons et des commerces, la présence sans élégance du château des Rohan, incarnation de la force telle que l'appréciait un noble sans noblesse et exemple lourdaud d'une architecture arrogante. Le Blavet qui traversait Pontivy appartenait lui aussi à une autre époque. L'empereur aimait les lignes droites, les rives abruptes, la canalisation cartésienne, et ses ingénieurs craignaient ses sautes d'humeur. Rien dans ce segment urbain et domestiqué du Blavet ne rappelait le cours bucolique qu'adoptait le même fleuve à proximité de Saint-Nicolas-des-Eaux. Difficile d'imaginer plus criant contraste entre l'activité agricole de l'entreprise de Kervarec et ce rébarbatif milieu urbain. Pourtant, c'était bien là qu'un homme d'affaires réputé cassant passait ses journées de travail, là qu'il s'employait à vendre sa production agricole à grand renfort de courriels et de logiciels boursiers et commerciaux. C'était de là qu'il regagnait ensuite son nid familial sur la corniche dominant un Blavet aux rives limoneuses, presque un autre fleuve. Féroc devait faire effort pour se persuader que le fleuve de Saint-Nicolas-des-Eaux et celui de Pontivy étaient des physionomies différentes du même cours d'eau.

À l'intérieur du siège social des Produits Kervarec, le changement d'atmosphère - de siècle? - frappait encore davantage. Ascenseur, réceptionniste, portes vitrées, moquettes aux teintes apaisées. L'image de la résidence ancestrale des Le Guern surgit dans la tête du policier. Même métier, autre culture, se dit-il. Féroc n'eut pas à attendre. Sitôt alerté par la réceptionniste, Kervarec sortit de son bureau, traversa athlétiquement un îlot bourdonnant de sonneries et de claquements d'imprimantes et tendit à Féroc une main robuste comme un défi.

— Bienvenue chez nous, dit-il. Première visite?

Rodé aux usages et à leurs nuances, Kervarec fit asseoir Féroc dans un confortable fauteuil et s'installa dans un siège semblable, tout près de lui, plutôt que de laisser s'interposer entre eux le long pupitre aux lignes scandinaves. Féroc saisit le message sans en être trompé.

— Je m'attendais à votre visite. J'aimerais évidemment avoir des nouvelles, mais votre métier est plutôt de poser des questions que d'y répondre.

Un vrai professionnel, se dit Féroc. Carrure puissante et visiblement entretenue avec rigueur, mais l'art d'en user selon les besoins. Sûr de lui mais attentif, à l'écoute. À l'affût serait plus juste. Féroc ne parvenait pas à imaginer les affrontements entre Anne Le Guern et Loïc Kervarec. Un élément pourtant les apparentait : autant avec ce fauve qu'avec la grand prêtresse qui présidait aux destinées du clan Le Guern, mieux valait parler net.

— Oui, j'ai besoin d'explications. Depuis que j'enquête sur nos deux assassinats, je vous trouve sur ma route et souvent dans des circonstances qui me mystifient.

— Suis-je sur votre liste de suspects?

Pas de nervosité, mais la prudence du chasseur qui proportionne ses gestes à la situation.

— Je n'en suis pas là, répondit Féroc, mais si vous préférez recourir dès maintenant à un conseiller juridique, libre à vous.

La table était mise.

— Commencez toujours. Je m'ajusterai moi aussi.

— Nous nous sommes croisés à la porte de la résidence de madame Anne Le Guern. Je ne crois pas qu'il s'agisse d'une personne que vous rencontrez régulièrement.

— Je me rappelle vous avoir aperçu. Vous quittiez la résidence et j'y arrivais. Nos raisons de rendre visite à madame Le Guern devaient se ressembler passablement. Nous avons eu nos divergences, madame Le Guern et moi, mais j'applique dans des circonstances comme celle-ci une règle que je tiens de mon père: quand Dieu met sa main sur l'épaule de quelqu'un, j'ôte la mienne.

Pour un peu, Féroc aurait souri de la référence à Dieu. Il avait souvent vu Anne Le Guern à proximité des clochers, jamais Kervarec.

— Pourquoi ne pas avoir attendu quelques minutes? Vous auriez pu vous mêler aux visiteurs? Aviez-vous un message particulier à livrer?

— Au risque de vous décevoir, monsieur

Féroc, je vais vous dire le contraire de ce que les ragots répandent. J'ai beaucoup de respect pour madame Le Guern. Nous sommes des concurrents et nous avons déjà joué dur tous les deux, mais nous ne sommes pas des ennemis. J'ai déjà essayé d'acheter son entreprise. Je sous-estimais ses capacités, mais je ne les sous-estime plus. Je tenais à lui dire à elle et à elle seule que je partageais son chagrin et que je ne permettrais à personne de mon entreprise d'abuser de la situation.

De fait, Kervarec imposait une image bien différente de celle que répandait le milieu. Mise en scène? Pour une part peut-être, mais pas au point de contredire les faits. Kervarec pouvait infléchir la perspective, il ne mentirait qu'en cas d'absolue nécessité. En l'occurrence, il suffirait d'une vérification auprès d'Anne Le Guern pour crever la baudruche; Kervarec ne courrait pas ce risque.

— D'autre part, monsieur Kervarec, vous avez laissé un message demandant à Viviane Le Guern de vous appeler.

— L'aubergiste?

— Le billet écrit de votre main dans la poche du manteau de Viviane Le Guern.

Il importait peu que l'information soit venue de l'aubergiste ou d'ailleurs, mais Kervarec accusa le coup. Il s'enfonça plus loin dans son fauteuil.

— Vous ranimez une question qui me torture. De fait, j'ai laissé un message à Viviane. Elle m'a rappelé et nous avons fixé un rendez-vous. Je me suis rendu à l'endroit convenu, mais elle n'est pas venue. Je sais maintenant qu'elle respectait notre entente et que le meurtrier est arrivé avant moi.

Son émotion ne faisait pas de doute. Kervarec se reprochait-il de n'avoir pu défendre Viviane Le Guern? Frémissait-il en pensant que le meurtrier aurait pu l'attaquer lui aussi? Féroc n'imaginait pas Kervarec en mauviette craintive.

— Et pourquoi cette rencontre avec Viviane Le Guern?

— Substantiellement pour les mêmes motifs qu'avec sa mère.

— Substantiellement, dites-vous.

— La différence, c'est que Viviane n'a jamais voulu s'intéresser à l'entreprise Le Guern, mais que la mort de Marie-Françoise pouvait peut-être changer des choses. Si elle décidait de remplacer sa fille dans les projets de madame Le Guern, je serais pour elle un concurrent, mais un concurrent plus civilisé que celui qu'elle a connu autrefois.

— Monsieur Kervarec, ne le prenez pas en mauvaise part, mais s'agit-il d'une conversion récente?

— On peut évoluer sans bruit, puis saisir l'occasion de montrer le chemin parcouru.

Kervarec avait dû fréquenter de bonnes écoles, se dit Féroc, impressionné malgré lui d'être contré par de telles formules. On avait dépassé le stade où les deux boxeurs tournent l'un autour de l'autre. Les coups commençaient à porter. Kervarec, qui avait peut-être cru possible de transformer la visite de Féroc en anodine conversation, appréciait de moins en moins de se sentir serré de près. Il n'avait rien vu encore.

— À la rigueur, monsieur Kervarec, j'aurais accepté et même admiré votre geste à l'égard d'Anne Le Guern. Des années de face à face dans un milieu restreint comme le nôtre, vous avez raison de le dire, cela enseigne le respect mutuel. Dans le cas de Viviane Le Guern, je vais vérifier certaines choses avant de croire à un message « substantiellement » semblable.

— Libre à vous, monsieur Féroc, répliqua Kervarec de façon glaciale en faisant mine de se lever.

— À quel endroit deviez-vous rencontrer Viviane Le Guern? demanda Féroc qui n'avait pas bougé un muscle.

— Au belvédère du Castennec, tout de suite au-dessus de la grande boucle du Blavet. Nous avions convenu de nous rencontrer à dix-huit heures trente. Elle était fatiguée en raison du décalage horaire et je voulais retrouver ma famille pour le dîner.

— Pourquoi ne l'avez-vous pas prise chez sa mère ou à l'auberge?

— Pour éviter les commérages.

— Et comment devait-elle se rendre au belvédère? Vous, vous étiez alors à deux pas de votre résidence, sur la corniche du Blavet, mais elle, elle avait à parcourir quelques kilomètres en pente assez accusée.

— Elle m'a simplement dit qu'elle se débrouillerait. Elle se rendait chez sa mère et n'était pas d'humeur à discuter.

— Vous ne pouviez pas livrer votre message dès ce moment-là et la laisser à son deuil?

Kervarec bouillait. Son fauteuil se ressentait de sa fébrilité.

— Est-ce que je peux vous poser de nouveau la question du début, monsieur Féroc: suis-je un suspect?

— Faites-vous l'objet d'un chantage, monsieur Kervarec? Répondez-moi et je vous répondrai.

— Je ne sais pas dans quel caniveau vous avez ramassé vos rumeurs, monsieur Féroc. Pour votre prochaine visite, avertissez-moi que mon avocat enregistre vos insinuations.

Cette fois, il avait quitté son fauteuil et s'était éloigné de Féroc, comme s'il craignait de s'abandonner à un geste de colère. Féroc se leva lentement.

— Trois mille dollars par mois, monsieur Kervarec, cela finit par représenter toute une somme. Et cela mérite une explication. Vous ne m'avez pas répondu, mais je vais vous donner quand même ma réponse à moi: oui, vous venez d'apparaître sur ma liste de suspects.

Féroc sortit sans ajouter un mot, plutôt content de son petit effet. Peut-être aussi était-il troublé par l'hypothèse d'une telle ambition. Qu'un homme parvenu à ce stade soit prêt à tout pour satisfaire un vieux rêve, était-ce vraisemblable? Il n'osait répondre à sa propre question.

24

Le jeudi 3 octobre, 8 h

L'humeur n'était pas à la rigolade quand Marceau apprit, à la première heure, que la voiture de location d'Henri avait été dûment lavée et vérifiée par l'équipe d'entretien d'Avis à Charles-de-Gaulle. Rien à signaler, ânonnait la préposée.

— Ces gens-là réussissent toujours à trouver une tache sur la vitre ou un quart de litre de pétrole en moins pour te facturer un supplément, mais ils ne seraient pas foutus de trouver une mailloche pleine de sang dans le coffre d'une voiture.

Marceau eut beau, de plus en plus frustré, éplucher dix fois la feuille de route du dénommé Fernand Henri, appeler des gens qui avaient eu à se plaindre de ses caprices ou de sa violence, il ne trouva rien qui puisse aggraver ou même soutenir les accusations de meurtre. Sauf peut-être ceci...

— Comment s'appelait ce batteur de femmes qui ne voulait pas que sa blonde ait un avortement? demanda-t-il à Pharand.

— Tremblay, et elle s'appelait Daigle. En as-tu d'autres aussi faciles? tenta Pharand qui voulait surtout s'enquérir du motif de la question.

— Toi qui aimes ça jouer au vieux psychologue, reprit Marceau sur un ton qui chevauchait la taquinerie et le reproche, est-ce que c'est courant qu'un homme violent pète les plombs si sa blonde décide elle-même de se faire avorter?

Pharand leva enfin les yeux de l'aide-mémoire avec lequel il négociait depuis un long moment. Il haussa d'abord les épaules en guise de réponse à la question de Marceau, puis regretta sa désinvolture. C'est vrai qu'il avait été question d'un curetage que Marceau, peu porté aux nuances ou à la rectitude politique, désignait d'un mot global et familier. Le toubib de Pontivy avait aussi transmis par Féroc un commentaire peu élogieux sur les avorteurs ou les faiseuses d'anges du Québec. Depuis lors, plus personne n'avait fait allusion à cet aspect de l'autopsie. Pharand, désormais intrigué, relança Marceau.

— À quoi penses-tu? À une discussion qui tourne mal au sujet du bébé qu'elle a supprimé?

— André, Henri me répugne. Mes nerfs me disent qu'il a tout fait pour démolir cette femme-là. Physiquement et... je ne sais pas, moi, dans sa fierté. Qu'il ajoute un coup de marteau ou de masse à ce qu'il lui a fait subir, pour moi c'est presque un détail.

— D'après toi, est-ce qu'Henri savait avant de partir que Marie-Françoise avait subi un avortement ou si c'est elle qui a tout réglé toute seule et qui lui a balancé ça au visage sur le bord du fleuve?

— Aucune idée.

Quelque chose qui rappelait leurs meilleurs moments de cordialité refaisait surface dans la conversation. À quelques jours de l'abandon de ses béquilles, Marceau retrouvait son voltage. Bientôt, très bientôt, son extraordinaire vitalité agiterait de nouveau son environnement. Avec peut-être quelque chose en plus, se dit Pharand. Peut-être ferait-il plus souvent confiance à la réflexion, à l'analyse, à la cogitation. Un plâtre peut constituer un pédagogue exigeant. Ils étaient là, tous les deux, humant les cafés chauds et les buvant presque froids, investis jusqu'à la moelle dans leur enquête.

— Ça n'a peut-être pas rap, André, déclara Marceau qui relayait fidèlement le vocabulaire de son fiston, mais te souviens-tu de la réponse d'Henri? Tu voulais savoir comment il avait fait pour retrouver la maison de la grand-mère au fin fond de la Bretagne...

— Marie-Françoise lui avait souvent parlé de la grand-mère... Attends un peu : oui, tu as quelque chose.

Quelque chose qui ne tiendrait peut-être pas la route, du moins pas encore, mais quelque chose qui préciserait peut-être le profil d'Henri. Marie-Françoise correspondait avec sa grand-mère. Elle en recevait de l'argent et, ce qu'elle appréciait bien davantage, une raison de vivre. Elle devait évoquer souvent Anne Le Guern et son entreprise. De là à convaincre Pharand qu'Henri avait écouté religieusement ce que sa maîtresse lui racontait d'une vieille grand-mère bretonne, il y avait une marge sérieuse. Que Fernand aime Marie-Françoise et que Marie-Françoise corresponde avec Pluméliau, il ne faudrait quand même pas en conclure, surtout si Fernand Henri fait des cauchemars à l'idée d'habiter la Bretagne, que le dénommé Fernand Henri a noté la référence à Pluméliau et qu'il distingue le Morbihan du Finistère.

— Moi, je pense, fit Marceau, qu'il nous en a passé une rapide. Quand il a voulu retrouver sa blonde, il savait où aller, mais ce n'est pas elle qui lui a dessiné le chemin.

Pharand notait silencieusement. Marceau, concentré, soulevé par sa colère contre Henri, se laissait guider par une étrange et insidieuse intuition.

— On gage, André?

— Sur quoi? Quand tu paries aussi subitement, en général je me fais avoir.

— Le trousseau de clés d'Henri! Je te gage que le trousseau contient les clés de l'appartement de Marie-Françoise. Il fouille là-dedans et il trouve l'adresse de la grand-mère.

Pharand avait le goût de s'administrer des taloches. Il s'était scrupuleusement abstenu de pénétrer dans l'appartement de Marie-Françoise Le Guern en raison de la présence de sa mère dans les environs et il n'avait pas songé un instant à réviser sa décision après le deuxième assassinat. Chapeau! se dit-il en se tapant le front de sa main ouverte. Pas de fouille parce qu'un membre de la famille survit au drame, pas de fouille non plus quand personne au Québec ne survit au drame! Admirable rigueur policière!

— Je ne tiens pas le pari. Je ne sais pas ce que tu vas trouver, mais tu as drôlement raison de vouloir fouiller. Nous avons rendez-vous à Orsainville avec Henri et son avocat à dix heures. On se rendra quelques minutes plus tôt pour jeter un coup d'œil au trousseau. Ça te laisse une bonne heure pour brasser un peu les papiers personnels de Marie-Françoise Le Guern à son appartement. Moi, je rencontre le directeur de la caisse. J'ai l'impression que monsieur Henri a encore des choses à nous dire avant de retrouver la liberté.

— Content de te l'entendre dire.

25

Le jeudi 3 octobre, 10 h

La personne du directeur de la Caisse populaire de Saint-Sacrement ressemblait à sa conversation : sobriété, précision, attention au moindre détail, délicat équilibre entre la verbosité et une étanchéité excessive. Pharand lui était connu en raison d'un certain nombre d'enquêtes réussies ou jugées telles par les médias; à ses yeux, ce que l'enquêteur demandait était présumé d'intérêt public. Pas aveuglément, mais jusqu'à épuisement du préjugé favorable. Cela augurait bien.

— Comme l'affaire n'a pas encore eu un grand retentissement au Québec, expliqua Pharand, je vous la situe rapidement. Vous nous avez déjà aidés en nous accordant votre confiance et, ajouta-t-il avec un sourire, vous avez toute la mienne. Il y a quelques jours, une jeune femme d'origine bretonne, mais détenant la citoyenneté canadienne, a rompu avec son ami québécois et a filé en Bretagne chez sa grand-mère. Le lendemain, son corps flottait dans un fleuve breton. La mère de cette jeune fille est Viviane Le Guern. Dès l'appel téléphonique qui la mettait au courant du drame, Viviane Le Guern est partie pour la Bretagne à son tour. Le soir même de son arrivée, on la retrouve elle aussi dans le fleuve.

— Noyade dans les deux cas? Ou dans un?

— Non, ni dans un cas ni dans l'autre. Un coup à la tête. Terriblement violent dans les deux cas. L'ami québécois de la jeune Le Guern est soupçonné du premier meurtre parce qu'il a relancé son ancienne amie en Bretagne et qu'il s'est grossièrement donné en spectacle là-bas devant sa parenté. Il semble le dernier à avoir vu Marie-Françoise en vie. Dans le deuxième cas, c'est la purée de pois.

L'autre écoutait sans un mot. Sans non plus prendre de note. Sans doute attendait-il de voir en quoi son travail de financier était concerné.

— J'ai rencontré madame Viviane Le Guern le jour même de son départ pour la France, lundi de cette semaine. La conversation, par ma faute, a manqué de cordialité. J'avais une vague idée de ce que rapportent les petits emplois universitaires, et le train de vie de madame ne me semblait pas du même ordre.

— Vous avez l'œil, monsieur Pharand, apprécia le directeur.

— Quand j'ai eu la nouvelle de ce deuxième meurtre, je me suis fait ouvrir l'appartement de madame Le Guern et j'ai jeté un coup d'œil sur ses entrées de fonds et ses dépenses.

— Et les trois mille dollars vous ont frappé...

— La police bretonne a rencontré monsieur Kervarec ce matin. On verra comment il explique, disons, sa générosité. Moi, ce qui m'amène chez vous, ce ne sont pas les trois mille dollars déposés au compte depuis des années, ce sont les deux mille dollars qui en sortent à chaque mois.

— Deux chèques de mille dollars, précisa le directeur. Vous êtes conscient, monsieur Pharand, que vos questions ne portent plus sur une personne décédée, mais sur ce qui est en l'occurrence un compte vivant. Les exigences de la confidentialité ne sont plus les mêmes.

— Vous me fournissez déjà des éléments de réponse, répondit Pharand avec une moue complice, et je vous en remercie. Si Viviane Le Guern avait versé deux mille dollars par mois dans une rente à son profit personnel, nous serions encore dans la catégorie de comptes dont vous pouvez parler. Vous me permettrez d'en tirer une conclusion.

Le geste et surtout le sourire du directeur confirmaient l'interprétation. Non, il pouvait le préciser maintenant, la bénéficiaire des chèques n'était pas une fiducie.

— Vous ne pouvez donc pas m'en dire plus long sur l'initiale J qui apparaît deux fois par mois dans le chéquier de Viviane Le Guern?

— Je n'aurais pas pu le faire sans le consentement de J. Je me suis permis de demander cette autorisation tout de suite après votre appel d'hier. J'ai obtenu cette permission. Voici les coordonnées de la bénéficiaire. Avec elle comme avec vous, je n'ai rien révélé de ce que je n'avais pas le droit de révéler et la personne ne sait rien des motifs de vos questions. Malgré mes précautions, je l'ai quand même intriguée et elle a hâte que vous l'appeliez. J'ai obtenu mes premières informations par l'institution bancaire dont le sceau apparaît sur les chèques de Viviane Le Guern.

— Avez-vous idée de l'âge de cette personne?

— Je ne sais rien d'elle.

— Avez-vous des instructions pour l'avenir? Viviane Le Guern ne signera plus de chèques...

— Aucune instruction. Il y en a peut-être dans le testament, mais je n'en sais rien.

La référence à un testament fit tiquer Pharand. Ni pardon ni héritage, avait articulé rageusement Viviane Le Guern. Allait-on quand même revenir à cela? Le carré de papier qui avait attendu discrètement sur la table du directeur pendant toute la conversation ne portait qu'un nom et un numéro de téléphone. Pharand remercia et sortit. Impressions renforcées au sujet du banquier: sobriété, précision, équilibre.

Jacinthe Asselin, disait le petit papier. Puis, en introduction à un numéro de téléphone, un indicatif régional qui ne disait rien à Pharand: 604. En route vers son bureau, il le soumit à la téléphoniste de la centrale. Vancouver et la région, lui fut-il répondu. Et le décalage? Trois heures. Belle façon de me compliquer l'existence, se dit Pharand. Mon Breton qui est en avance de six heures, cette inconnue qui retarde de trois heures et les dîners qui deviennent des déjeuners...

Marceau et Pharand se rencontrèrent à la sortie arrière de la centrale de police. Marceau, ses prothèses brassant l'air comme les ailes d'un moulin à vent exaspéré, réglait son taxi quand Pharand arriva. Marceau ne fit que changer de voiture, sous l'œil un peu ahuri du chauffeur de taxi. La mise à jour fut courte et frustrante pour les deux. De la centrale de police à la prison d'Orsainville, le trajet ne requérait que quelques minutes; il se révéla amplement suffisant. L'un et l'autre avaient le sentiment d'avoir débusqué quelque chose, mais d'avoir dû abandonner la traque prématurément.

— Je vais être obligé de bluffer, dit Marceau. Je suis certain que quelqu'un a fouillé dans les papiers de la Marie-Françoise, mais je préférerais qu'un technicien vienne relever les empreintes. C'est clair qu'Henri est allé souvent dans l'appartement. Probable qu'il couchait là au moins de temps en temps. Il y a des accessoires de toilette masculins dans la salle de bain. Mais, à moins qu'elle n'ait été complètement schizophrène - c'est ça, deux personnalités? -, jamais cette fille-là n'aurait laissé une partie de ses affaires personnelles dans un fouillis semblable. Le reste ressemble au pupitre de la parfaite secrétaire: chaque papier est à sa place, les dossiers sont classés par ordre alphabétique avec des beaux numéros en couleur, tu vois le genre. Puis, tout à coup, le bordel. Une série de cahiers qui ont l'air d'un journal intime est éparpillée n'importe comment, l'espèce de carnet métallique où tu notes les numéros de téléphone est resté ouvert à la page L, avec en haut de la page l'adresse d'Anne Le Guern. Un bloc-notes tout croche avec un stylo sur le bureau, alors que tu as une potiche pleine de plumes, de crayons... D'après moi, cette fille-là aurait piqué une colère bleue en voyant notre épais fouiller dans ses secrets.

— Qu'est-ce que tu voudrais qu'un technicien cherche?

— Les empreintes d'Henri dans les papiers personnels de la madame. Qu'on trouve ses empreintes sur la table de cuisine ou sur la télévision, je m'en fiche. Ça ne prouve rien : il avait la clé et il entrait quand il voulait. Mais les empreintes d'un petit curieux dans le journal et les calepins de la fille, j'aimerais ça qu'il m'explique.

Mine de rien, Pharand effleura le sujet délicat.

— As-tu eu le temps de lire quelque chose?

— J'avais des gants et tu ne trouveras pas une traître empreinte de moi dans les cahiers.

Ils se regardèrent du coin de l'œil. Marceau hocha la tête.

— Oui. Les dernières pages du dernier cahier. J'aurais aimé retourner quelques jours en arrière, parce qu'elle parle d'un rendez-vous qui lui brise le cœur. Est-ce que c'était son avortement? Sais pas. Et toi?

Pharand retrouvait peu à peu son acolyte. Le plâtre allait relâcher son emprise et Marceau savourait d'avance sa libération. En plus, et cela surprenait et réjouissait Pharand, Jean-Jacques appréciait désormais le contact avec Féroc. Tous deux, ils prenaient plaisir à se colleter avec un défi moins « paroissial » que la plupart de leurs tâches.

— Moi non plus, je n'ai pas terminé ce que j'ai

commencé. J'ai eu des informations sur la personne qui recevait deux mille dollars par mois. Jacinthe Asselin. Son numéro de téléphone est en Colombie-Britannique.

– Asselin, est-ce que ce n'est pas le nom de son comptable de mari?

– Oui, mais le nom est tellement courant. Je verrai tout à l'heure.

L'entrée principale de la prison d'Orsainville se présentait à eux. Toujours le même malaise chez Pharand : c'est ici qu'on loge ceux que nous arrêtons. Sont-ils différents à la sortie? Il n'en était pas certain et cela ne regonflait pas toujours son enthousiasme. Ils furent de nouveau réunis tous les quatre autour de la table carrée. Fernand Henri avait dû passer au lit toutes les heures disponibles, car il avait l'air nettement plus reposé qu'à son arrivée à Dorval. On pouvait d'autant mieux en juger qu'Henri, pour une fois, était privé des lunettes opaques derrière lesquelles il dissimulait ses yeux. Pas de nervosité visible. Pas de spectacle son et lumière. Au passage, Pharand avait sollicité d'un œil complice l'avis du gardien : non, aucun problème avec celui-là. On saurait vite, aux premiers mots de l'avocat, si ce calme signifiait qu'Henri se voyait déjà libre. Lacoste, tiré à quatre épingles comme d'habitude, guettait l'instant propice.

Marceau attaqua.

– Quand s'est produite la rupture entre Marie-Françoise Le Guern et vous, monsieur Henri?

— Le mot est peut-être un peu gros, émit l'avocat. Vous êtes jeune, monsieur Marceau, mais vous devez avoir entendu parler des nuages matrimoniaux...

Pharand se réjouit de voir Marceau ne rien répondre et attendre la réponse d'Henri.

— Je vous l'ai dit, échappa-t-il enfin, il fallait qu'on s'explique.

— Mademoiselle Le Guern ne devait pas tenir tellement à vos explications. D'après son voisin de palier, vous aviez déjà haussé le ton suffisamment pour qu'elle vous invite à quitter l'appartement et à ne pas revenir. Ce n'est pas une rupture?

— Monsieur Marceau, fit Lacoste, n'importe quel couple vit des périodes de turbulences...

Marceau l'ignora et demeura concentré sur Henri. Il avait épuisé la veille sa patience à l'égard du rituel.

— Je repose ma question, monsieur Henri: à quel moment s'est produite la légère divergence d'opinion entre mademoiselle Le Guern et vous qui vous a valu une invitation à partir? Longtemps avant son départ?

— Je ne sais pas exactement. Il y a huit ou dix jours.

— Quand avez-vous appris le voyage de Marie-Françoise Le Guern en Bretagne?

— Quelques jours après. Trois, quatre, je ne sais pas.

— Comment l'avez-vous appris? Ce n'est quand même pas elle qui vous a mis au courant...

— J'ai téléphoné et le répondeur disait « Je suis à l'étranger pour quelques jours... » Ce n'était pas difficile d'imaginer le reste.

— Vous avez quand même décidé d'aller fouiller dans ses affaires, affirma Marceau.

Lacoste leva un index de réprimande.

— Attention à votre vocabulaire, monsieur Marceau.

Marceau pivota sur sa chaise pour fixer son regard bien droit sur l'avocat.

— Quel mot faut-il utiliser pour quelqu'un qui entre sans permission dans un appartement qui lui est interdit et qui envahit les papiers personnels de la propriétaire? Préférez-vous que je parle de cambriolage?

— S'agit-il de nouvelles accusations, monsieur Marceau? Laissez-vous tomber les accusations de meurtre pour parler de cambriolage? Si c'est cela, sortons d'ici.

Pharand aimait bien l'offensive de Marceau. Lacoste et Henri avaient beau conjuguer leurs efforts, ils ne parvenaient pas à évaluer les munitions que possédait le policier. Marceau pivota de nouveau, méprisant ostensiblement l'objection de l'avocat.

— J'ai vérifié, monsieur Henri : votre trousseau de clés contient toujours celle de l'appartement de mademoiselle Le Guern.

— Elle ne m'a pas demandé de la lui remettre.

Il avait répondu trop vite au gré de Lacoste.

— Elle s'était peut-être trompée en vous jugeant bien élevé, monsieur Henri. Elle ne devait pas s'attendre à ce que vous reveniez dans son appartement après son départ.

— Qui vous dit que je l'ai fait?

— Vos empreintes et un désordre qui ne ressemble pas du tout à la victime.

— Mes empreintes sont partout dans l'appartement. J'y ai habité, c'est normal.

Lacoste respirait mieux: le policier n'irait pas loin avec cette histoire d'empreintes.

— Reprenons lentement, monsieur Henri. Niez-vous avoir pénétré dans l'appartement de votre ancienne amie après son départ et malgré son interdiction?

— Dans mon esprit, c'était toujours mon amie, pas mon ancienne...

La petite toux de Lacoste fit sentir à Henri qu'il tirait vraiment trop fort sur sa laisse.

— Je ne vois pas ce qu'il y a de mal à cela.

Nouvelle toux, un peu plus insistante. Marceau, paternel et caustique, demanda l'aval de l'avocat:

— Peut-on dire que votre client ne nie pas son intrusion?

— Accélérez un peu, monsieur Marceau. Nous ne sommes pas ici pour discuter bonnes manières et visites à domicile.

— À voir le désordre que vous avez laissé, monsieur Henri, j'ai eu l'impression que vous cherchiez à savoir où votre ancienne amie était allée. Vos empreintes apparaissent dans le journal intime de la victime. Le calendrier métallique est demeuré ouvert à la mention de la grand-mère.

L'ordinateur a gardé la trace de votre passage. Pourquoi avoir prétendu que Marie-Françoise vous avait tellement parlé de sa grand-mère que vous auriez pu la retrouver à Tombouctou?

– Vous nous faites perdre notre temps, coupa Lacoste. Tout le monde sait déjà que mon client a rejoint son amie à la résidence de sa grand-mère en Bretagne. Quelle importance qu'il ait trouvé l'adresse sur le pupitre de son amie ou qu'il se soit informé là-bas? Ou vous accusez monsieur Henri d'un crime sérieux ou vous le laissez sortir d'ici.

– Vous posez de bonnes questions, monsieur Lacoste, et je vais vous donner un aperçu des réponses possibles. Monsieur Henri a menti à propos des coordonnées de la grand-mère parce qu'il ne voulait pas avouer ses indiscrétions dans les papiers de la victime. C'est là qu'il a trouvé l'adresse de la grand-mère, mais c'est aussi là qu'il a appris l'avortement de Marie-Françoise.

– Elle n'avait pas le droit!

Henri comprit un instant après les trois autres l'importance de sa protestation. Marceau laissa régner le silence un long moment. Il planta ensuite une banderille au flanc de Lacoste :

– Nous sommes sortis du cambriolage. Vous voyez quelles explications voulait obtenir votre client. Il pourrait nous dire maintenant à quel moment et à propos de quoi il a piqué une colère.

Le silence persistait pendant que Lacoste évaluait les dégâts. Pharand, qui avait laissé le plancher à Marceau, tira la conclusion :

— Monsieur Henri demeure ici pour l'instant. Je parle à notre procureur pour qu'il fasse comparaître votre client au plus tôt. À moins de contre-indication en provenance de la Bretagne ou de notre procureur, n'excluez pas l'hypothèse d'une accusation de meurtre.

Les deux policiers regagnèrent leur voiture en silence, pendant qu'Henri et son avocat se livraient à un bilan qui devait ressembler assez peu au scénario prévu. Marceau déposa ses embarrassantes prothèses sur le siège arrière et se laissa tomber à côté de Pharand avec un immense soupir de soulagement. Quand il fut certain d'avoir roulé une distance prudente, Pharand leva le pouce de la victoire.

— Féroc serait fier de toi, mon Jean-Jacques! Il voulait du temps et tu viens de lui gagner au moins vingt-quatre heures, peut-être même deux ou trois jours.

Marceau ronronnait.

— Tabarouette que j'ai eu peur! Si cet animal-là n'avait pas craqué, j'aurais été mal pris. J'ai gagé dans ma tête qu'Henri est un macho fini : jamais il ne supporterait l'idée qu'elle supprime « leur » enfant. Et le bluff a marché.

— Quand tu parles de bluff, tu parles bien de bluff? demanda Pharand.

— Hum hum.

— Comme tu as bluffé à propos de la clé? Tu ne sais même pas à quoi elle ressemble et moi non plus. En plus, le trousseau est avec les affaires personnelles d'Henri, dans une enveloppe scellée.

Le gardien d'Orsainville ne t'aurait pas laissé l'ouvrir.

— Demi-bluff. Si j'avais eu la clé du propriétaire, j'aurais pu la comparer avec celle du trousseau. Un détecteur de métal ne déchire pas une enveloppe scellée, monsieur Pharand!

— Mais tu n'es pas allé chercher la clé chez le propriétaire.

— C'est pour ça que je parle d'un demi-bluff: j'aurais pu! La clé existe et la prison a un appareil pour examiner les viscères des bagages.

Devant le sourire de Pharand, il ajouta:

— J'admets que j'ai eu peur. Lacoste a dû s'apercevoir de quelque chose, mais j'essayais de ne pas lui donner de temps.

— Vas-tu réussir à bluffer notre prudent procureur lui aussi?

— Avec ce qui vient de se passer, je pense que oui. Si le technicien visite l'appartement tout de suite, il devrait confirmer tout ce que j'ai dit: le désordre, les cahiers intimes, le calendrier... Comme Henri n'a pas jappé quand j'ai parlé de l'ordinateur, une petite vérification devrait dire la même chose que moi.

— Et l'avortement?

— Bluff et pas bluff. J'ai lu seulement quelques lignes sur deux ou trois pages, mais c'est ça l'impression que j'ai eue: ça lui fait mal au cœur, mais elle doit se débarrasser de l'embryon. En saisissant tout ça, j'aurai le temps de tout lire.

— Mais ton idée est déjà faite?

— En gros, oui, mais il y a encore du mou

dans ma voile, comme dirait Féroc. D'après moi, la Marie-Françoise voulait s'installer en Bretagne avec Henri, succéder tranquillement à la grand-mère et élever sa famille là-bas. Henri a dû laisser porter pendant un bout de temps. En bon macho, il a pensé qu'il la casserait et la mettrait à sa main. Il lui aurait fait un enfant juste pour la rendre dépendante que je ne serais pas surpris. Mais la demoiselle a pété les plombs. Expulsion du bonhomme, avortement et voyage, elle a réglé ça d'un grand coup de vadrouille. Je ne sais pas qui l'a aidée, mais il n'y a aucune trace de rendez-vous avec un médecin. Lui, tout ce qu'il a compris, c'est qu'elle n'avait pas le droit de se faire avorter. Le frère jumeau du Tremblay dont tu parlais.

Pharand profita d'un feu rouge pour regarder Marceau et apprécier le scénario.

— Ça se tient. Jamais je ne jouerai au poker contre toi. Reste à savoir si le prudent procureur va acheter le scénario. Il aimerait mieux une photo couleur d'Henri avec un marteau sanglant à la main. Ce qui m'a frappé dans ton interrogatoire, c'est que tu as réussi à montrer le côté impulsif d'Henri. On avait des doutes tous les deux, tu te souviens. Plus maintenant: il a pu perdre la boule.

— Tu n'es pas encore certain?

— Moi, j'attends la photo couleur! Et puis, il ne faut pas oublier le deuxième meurtre. Henri a très bien pu passer sa rage sur Marie-Françoise, mais quel motif aurait-il eu de tuer la mère?

Bizarrement, la performance de Marceau avait acculé un professionnel comme Lacoste à la défensive, mais n'avait toujours pas levé les doutes de Pharand.

26

Le jeudi 3 octobre

Féroc et Pharand avaient vite procédé à la mise à jour. C'était à qui chargerait son suspect le plus lourdement. Féroc était sorti furieux et désagréablement surpris du comportement de Kervarec. L'homme d'affaires avait habilement mêlé le plausible et le farfelu et s'était comporté comme un sanglier face à un minable chien de chasse. Pharand, quant à lui, avait modifié quelque peu sa perception de Fernand Henri, mais il espérait trouver contre lui autre chose que des circonstances défavorables. Surtout, il ne parvenait pas à lier les deux meurtres. Si Henri avait tué Marie-Françoise dans un accès de rage jalouse, rien n'empêchait Kervarec de profiter de la fièvre médiatique et de tuer Viviane Le Guern pour mettre fin à un chantage. On aurait alors deux meurtres indépendants et que seul le calendrier avait rapprochés. Pendant que Marceau explorait la piste du crime perpétré sans préméditation, Féroc et Pharand cherchaient le premier à expliquer les étranges rapprochements entre les clans rivaux de propriétaires bretons, le second à expliquer l'étrange circulation d'argent dans le compte de Viviane Le Guern. À ce stade, plus qu'à une planification délibérée, les différences entre les enquêtes répondaient à des différences de tempéraments.

Retracer Angélique Budoc n'avait requis aucun héroïsme. Féroc avait pourtant hésité sur l'approche à privilégier. Téléphoner à une vieille personne expose aux difficultés d'audition des oreilles fatiguées. Surgir à l'improviste peut inquiéter. Mettre un proche dans la confidence en lui demandant de préparer le terrain risque de provoquer plus d'indiscrétions que nécessaire. Sophie, dont c'était l'idée, lui demanda au nom de quoi il présumait des infirmités. « Va la voir! C'est tout. » Et ce fut tout.

Comme beaucoup de maisons bretonnes, celle-là, bien qu'accolée prudemment à un centre de soins, échappait complètement au regard des passants. Pour la trouver, Féroc avait dû marcher un peu. Il avait garé sa voiture dans un stationnement où persistait, vestige, espérait-il, d'un règlement municipal désuet, une pancarte interdisant le lieu aux migrants, vagabonds et autres tsiganes. Il s'était ensuite dirigé vers une rue minuscule et ombreuse. Une haie impénétrable entourait la vieille maison de ses trois mètres de hauteur. Les espèces d'arbres les plus diverses, dont plusieurs se piquaient de noblesse, n'avaient peut-être pas accepté de bon gré d'être réduites au rôle de figurantes dans une clôture. Elles avaient pourtant grandi en collégialité et s'étaient soumises bon gré mal gré à la taille. Le bloc qu'elles formaient désormais était si dense qu'il interdisait totalement le passage de la lumière. Seul indice de la présence d'une vivante derrière cette barricade, une boîte aux lettres à la manette baissée et portant fièrement le nom d'Angélique Budoc.

Elle répondit au premier tintement de la clochette. Au regard que lancèrent ses yeux enfouis dans les plis du visage, Féroc se sentit ramené à son petit pupitre de la deuxième rangée, mis à nu comme une naïve conscience d'enfant.

– Yann Féroc, mon collectionneur! Quelle belle surprise! Viens t'asseoir.

Féroc avait oublié à quel point cette silhouette était minuscule. Comment avait-elle pu affronter des classes turbulentes et faire fondre de honte les petites brutes qu'ils avaient été? Il avait oublié sa propre manie de tout collectionner, mais les souvenirs resurgissaient à sa commande.

– Une année, c'était les feuilles d'arbres. L'année suivante, tu t'étais lancé dans les cailloux. As-tu gardé tes albums? Et tes petites boîtes avec des casiers pour chaque roche?

Il était venu avec sa brassée de questions et c'était elle qui avait pris les commandes, aussi naturellement qu'autrefois. Elle ne lui allait pas à l'épaule, mais, comme si son regard l'avait dominé au lieu de monter vers lui, il redevenait petit garçon, celui qui avait subi son autorité et bénéficié de sa pédagogie trois années de suite. Elle lui aurait demandé de lui dessiner une belle rangée de A majuscules qu'il aurait sûrement obtempéré, les doigts crispés sur le crayon de bois et la langue pendante de concentration.

— Je sais ce que tu fais, mais tu n'es pas vaniteux. C'est bien rare que je vois ta binette dans le journal. Est-ce que c'est le métier qui demande ça? Quand les autres ne te voient pas, c'est plus facile de les regarder? J'allais me faire une petite infusion. Je l'allonge un peu et je t'en sers une gorgée.

Elle se passait de son avis. Il s'était assis sur une chaise droite et la regardait trottiner d'un pas vif, étirer un bras presque squelettique jusqu'aux tasses accrochées par l'anse aux crochets de la vieille armoire à panneaux. La voix avait gardé sa fermeté, l'ouïe semblait aussi fiable qu'au temps où nul chuchotement ne lui échappait.

— Que veux-tu me demander? fit-elle en déposant les tasses sur la table. Je me doute bien qu'il y a un rapport avec les horreurs qui se passent chez nous de ce temps-là. La mère et la fille auraient mieux fait de ne pas revenir ici.

L'odeur de la tisane s'était répandue. Féroc, les doigts peinant à tenir l'anse fragile sans la brusquer, huma le parfum avant de tremper ses lèvres dans le liquide ambré.

— J'ai quarante-neuf ans, mademoiselle Budoc. Pour bien faire mon métier, il faut que je comprenne pourquoi les gens s'en veulent, pourquoi ils refusent de pardonner et d'oublier le passé. C'est pour ça que j'ai besoin de vous.

Mademoiselle Budoc avait tant insisté auprès des enfants pour qu'ils soient droits en toutes choses qu'ils entrèrent ensemble, elle et Féroc, sans effort aucun, dans le monde des blessures mal cicatrisées, des rancunes aussi tenaces que mal fondées, des dommages inutiles causés par des rumeurs vicieuses.

— Vous n'avez pas à redouter mes bavardages, mademoiselle Budoc. Je ne suis pas indiscret par plaisir. Deux personnes ont été tuées et cela n'est pas correct.

— Ne dépense pas ta salive dans le vent, mon petit Yann. Tu étais droit et tu l'es encore. Et puis, moi, je suis une vieille femme qui a appris à dire seulement ce qu'elle ne regrettera pas. Je ne peux pas te parler de Marie-Françoise. Je ne l'ai pas connue. Mais les autres...

— Dans la famille Le Guern, il y avait trois générations de femmes: Anne, Viviane et Marie-Françoise. On dirait que Viviane ne fait pas partie de la famille. Pourquoi?

La tisane tiédissait. La vieille dame, elle, s'était comme tournée vers l'intérieur d'elle-même. Elle se projetait des souvenirs et effectuait des choix entre l'utile, le nécessaire, le dangereux.

— Anne est la seule survivante de la grande querelle. Son mari est mort le premier et le père de Loïc Kervarec, qui a été veuf très jeune, est parti pas longtemps après. Anne n'a jamais pardonné.

Féroc perdait pied. Le regard d'Angélique Budoc était trop lumineux pour qu'il soupçonne la moindre faille dans la lucidité. Pourtant, les éléments surgissaient dans son évocation sans que s'impose une cohérence. Des étoiles filantes ne composent pas une constellation. Elle lui transmettait peut-être des perles, mais sans fil pour les relier.

— La grande querelle?

Angélique Budoc tourna vers lui les yeux dont il avait appris, enfant, à redouter les frémissements.

— Excuse-moi, Yann, j'oublie que tu es jeune. Quand la querelle a eu lieu, tu devais t'intéresser à tes études et à Sophie plus qu'à l'agriculture. Peut-être aussi que tu apprenais ton métier en dehors du Morbihan.

Sans même s'en apercevoir, mais peut-être aussi en recourant à ses dons de seconde vue, Angélique Budoc érodait les doutes qu'il avait entretenus un instant. Elle savait à peu près tout de son parcours, de ses fréquentations, de ses absences. Un peu plus et il se serait excusé d'avoir grossièrement douté d'elle.

— Dans le temps, les fermes étaient modestes. La mer produisait bien. On n'a pas remarqué tout de suite que la Bretagne changeait. Moi, je voyais bien que les jeunes rêvaient des grandes villes. Ils étaient comme des mouches attirées par une chandelle. Quand on s'est aperçu que les fermes se vendaient pour pas grand-chose, des hommes comme le mari d'Anne Le Guern et le père de Loïc en avaient déjà racheté plusieurs. Ils ont fini par s'intéresser tous les deux aux mêmes terres. Ils se sont parlé. Il paraît que la discussion a viré à l'orage, mais ils se sont entendus pour ne pas se nuire. S'ils se concurrençaient, les prix monteraient et ils y perdraient tous les deux. Tu comprends?

Bien sûr, Féroc comprenait. Puisque deux chiens savent d'instinct que le tunnel de la marmotte a deux ouvertures et se partagent la surveillance, deux ambitieux peuvent piéger le marché en se concertant.

— Le père Kervarec n'a pas joué franc jeu.

Pourquoi aurait-elle déballé le détail des tricheries? L'essentiel était dit. Féroc imaginait la suite. Kervarec avait trahi sa parole et fait main basse subrepticement sur une terre d'importance névralgique dans le développement de l'entreprise Le Guern.

— Le Guern est mort l'année suivante. Les médecins n'y ont rien vu, mais ils ne comprennent pas toujours ce qui saute aux yeux. Le père de Loïc a été écrasé par un tracteur deux ans plus tard. Exactement sur la terre de sa tricherie.

La vieille dame veillait à en dire le moins possible, mais elle surveillait dans la figure de Féroc la montée de la lumière. Quelques mots s'ajoutaient lentement et donnaient sa place à une autre pièce du casse-tête.

— Tout de suite après la mort de Le Guern, le père de Loïc s'était présenté chez la veuve pour lui offrir de racheter son entreprise.

La vieille institutrice dosait toujours aussi bien ses effets. Son silence exprimait éloquemment son avis sur cette grossièreté du père Kervarec. Elle n'éprouvait pas davantage le besoin de décrire la réaction qu'avait eue Anne Le Guern. Féroc, de son côté, se rappelait le mot qui lui était venu à la bouche en croisant Loïc Kervarec dans le stationnement de la résidence d'Anne Le Guern: charognard, s'était-il dit. Il n'aurait su dire d'où l'horrible épithète avait surgi en lui avec son odeur putride, mais elle devait sans doute beaucoup à un vieux jugement social. Le mot aurait détonné dans le vocabulaire châtié d'Angélique Budoc; elle n'en avait d'ailleurs pas besoin pour signifier son mépris. On semblait loin de la question initiale de Féroc. Il n'eut pourtant pas à la rappeler: Angélique Budoc, après avoir mis le décor en place, pouvait passer au coup de théâtre.

— Anne Le Guern s'est aperçue un jour que Loïc Kervarec tournait autour de Viviane.

De nouveau, il lui avait suffi de quelques mots pour renvoyer Féroc à ses supputations. Il avait voulu savoir pourquoi le clan Le Guern battait froid à la mère de Marie-Françoise et on l'obligeait à envisager un drame mettant en présence des Capulet et des Montaigu bretons: la Juliette de Pluméliau aurait rencontré un Roméo lié aux ennemis mortels du clan Le Guern. Le décor évoqué par l'ancienne institutrice permettait d'imaginer la mise au ban de Viviane et les manœuvres des autres membres de la tribu pour protéger l'entreprise contre les nouvelles offensives lancées par la famille Kervarec.

— Viviane était aussi bretonne que sa mère. Aussi tête dure que toi et moi, conclut Angélique Budoc. Puisqu'on lui interdisait le côté Kervarec, elle regarda ailleurs. On l'a vue quelques fois en compagnie d'un étranger. Puis, on a appris qu'elle était partie avec lui et qu'elle l'avait marié.

Certaines pièces du casse-tête refusaient encore de tomber en place. Angélique Budoc se taisait, cependant. Sa contribution avait été de remonter à la « grande rancune » et d'en tirer un éclairage sur l'antagonisme entre Anne Le Guern et sa fille. Étrangement, elle n'avait fait aucune allusion à l'autre fille d'Anne Le Guern. Elle n'avait pas non plus expliqué comment la grand-mère, pourtant coupée de sa fille, avait établi avec Marie-Françoise des liens suffisamment intimes pour que *Nord-Ouest* en fasse lourdement mention.

— Pourquoi Anne Le Guern avait-elle choisi Marie-Françoise pour lui succéder, alors que son autre petite-fille, Ariane, est à côté d'elle?

La vieille dame se leva avec une certaine raideur dans les articulations et renouvela son infusion.

— J'ai été choquée par cet article, fit-elle en pinçant ses lèvres minces. Ariane a déjà vécu assez de malheurs sans qu'on la traite comme un mouton noir. Elle n'était qu'une enfant quand sa mère est morte d'un cancer. Son père s'est remarié avec une femme qui avait trois rejetons d'un premier mariage et la petite Ariane a enduré l'enfer. La grand-mère a fini par s'apercevoir de quelque chose et l'a prise avec elle.

Féroc n'avait qu'entrevu Ariane et son mari. Il regrettait maintenant de n'avoir pas davantage prêté attention à ce visage triste et fermé, de n'avoir rien senti, rien soupçonné d'un cheminement douloureux. Il se souvenait en revanche de la réaction de Pharand à la lecture du commentaire fielleux du journaliste. Tout de suite, le policier québécois avait songé, lui, à la blessure causée à l'autre petite-fille. L'histoire n'était pas complète encore. Féroc sentait, en effet, malgré le prudent laconisme de la vieille dame, qu'elle n'avait pas fini de lui ouvrir des pistes.

— Ariane, comme Viviane, était un bon parti.

Féroc se souvint du gendre qui, devant la famille Le Guern réunie autour du cercueil de Marie-Françoise, avait affirmé péremptoirement la culpabilité de Fernand Henri. Buté, carré, fougueux, il ne ressemblait guère à la présence chaleureuse dont aurait eu besoin Ariane.

— Anne Le Guern avait eu sa leçon. Elle n'a pas empêché Ariane de marier Bréhaut.

Au ton employé, Bréhaut n'évoquait pas le prince charmant aux yeux d'Angélique Budoc. Féroc aurait aisément partagé ses réticences. Anne Le Guern avait probablement rongé son frein. Elle n'avait pas ravagé les espoirs d'Ariane, ne les avait sans doute pas cultivés non plus. Soumise à un mari qui avait lu et saisi à travers elle la possibilité de diriger un jour l'entreprise Le Guern, Ariane avait dû s'enfermer dans une attente modeste. Féroc, guidé par l'ancienne institutrice, imaginait l'enfermement de la petite-fille laissée sur la touche. Ariane, selon toute probabilité, devait entendre jour après jour les récriminations de Bréhaut, le laisser étaler ses ambitions, l'encourager à la patience. Avec les années, même ce rôle effacé était devenu injouable. Là-bas grandissait et s'épanouissait Marie-Françoise à propos de laquelle la grand-mère et la mère avaient probablement conclu un pacte de non-agression. Ni Anne Le Guern ni sa fille n'assoupliraient leurs intransigeances respectives, mais peut-être pouvaient-elles, presque sans entrer dans l'explicite, confier l'avenir et l'entreprise à Marie-Françoise. Et Ariane assistait à cela.

— Ce que le journaliste a écrit, demanda Féroc, c'est la vérité?

— Ça l'est devenu. Le journal était bien placé pour le savoir. On ne voyait jamais la photographie d'Ariane, mais très souvent celle de Bréhaut. Anne ne devait pas apprécier qu'un de ses employés fasse passer son nom avant celui de l'entreprise. Elle n'a pas apprécié non plus que Bréhaut achète une maison au-dessus de ses moyens.

Elle précisa le reproche.

— Il n'aurait pas dû s'installer sur la corniche.

Féroc savait d'expérience de quelles glaciales colères était capable Anne Le Guern. Si elle avait eu l'impression que Michel Bréhaut présumait de son futur statut dans les Produits Le Guern et en profitait pour tirer du grand, le jeune homme avait sûrement eu droit à une tornade de belle ampleur.

Féroc avait fait ample provision de sujets de réflexion. Il remercia Angélique Budoc en s'inclinant devant elle comme il avait dû le faire souvent dans sa jeunesse. En le remerciant de sa visite dont elle feignait d'ignorer le côté terriblement utilitaire, elle enveloppa sa large poigne de deux petites mains aux veines ostensibles.

— Trouve-le vite, Yann. Je sais que tu n'as peur de personne. Mais fais attention à la suite. Il y a trop de souffrance accumulée.

Au lieu de prendre directement la route qui conduisait de Bieuzy à Saint-Nicolas-des-Eaux,

Féroc fit le détour par la corniche surplombant la boucle du Blavet. La référence d'Angélique Budoc à la corniche lui tournait dans la tête comme un reproche brusquement adressé à sa conscience. L'enquête et la vieille dame lui faisaient examiner les lieux d'un autre œil. Jamais encore, par exemple, il n'avait remarqué à quel point on se trompait en croyant les résidences de la corniche à des centaines de mètres du fleuve. Un escarpement, certes, séparait la rive du fleuve et la corniche. En plus, les haies protectrices interdisaient bruits et regards de façon si étanche que les résidants n'étaient nullement incommodés par les allées et venues sur la voie piétonnière. Le moniteur de kayak avait pourtant raison : entre le fleuve et les résidences cossues qui le surplombaient, la distance était négligeable. Cela, Féroc le savait, mais Angélique Budoc, pédagogue dans l'âme, l'obligeait à en faire le constat physique. Roulant à faible allure, Féroc ne pouvait rater la résidence luxueuse et tape-à-l'œil de Kervarec. Il la reconnaissait pour l'avoir souvent effleurée de l'œil dans ses pérégrinations ou aperçue dans les reportages télévisés. Il n'avait jamais prêté attention, toutefois, à une maison sise à peu de distance de celle-là et qui arborait en moins luxueux mais avec le même mauvais goût le nom de son propriétaire : Michel Bréhaut. Angélique Budoc avait raison : il n'aurait pas dû. En pensant aux deux hommes dont il venait d'être question, Féroc se demanda auquel pensait Angélique Budoc quand elle avait affirmé que son petit collectionneur n'avait peur de personne. Autant dire qu'il soupçonnait la vieille dame d'avoir peut-être déjà percé le mystère d'un meurtre et même des deux. Mais il était surtout mystifié par la mise en garde à propos de la souffrance accumulée. Cela lui rappelait de trop près les allusions du journaliste et même du curé à la malédiction pesant sur le clan Le Guern.

27

Double service funèbre à Pluméliau

Pontivy, vendredi 4 octobre. – Une foule considérable a envahi hier matin l'église de Pluméliau pour dire un dernier adieu à deux membres de la malheureuse famille Le Guern. Marie-Françoise, 23 ans, et Viviane Le Guern, sa mère, 43 ans, ont toutes deux péri de façon violente à peu d'heures d'intervalle et à proximité l'une de l'autre. Au premier rang de l'auditoire se trouvaient Anne Le Guern, mère et grand-mère des disparues, et Ariane Le Guern, nièce de Viviane et cousine de Marie-Françoise. Dans l'église bretonne qui a gardé scrupuleusement ses statues et les quatorze stations de son chemin de croix, le curé de la paroisse a uni ses condoléances à celles de l'assistance et prié pour que cessent les malheurs de cette famille éprouvée. Même si la pratique religieuse demeure un trait caractéristique du Morbihan et que Pluméliau est chaque année un lieu où la tradition des « pardons » mobilise l'ensemble de la population, il y avait longtemps que les abords de l'église paroissiale n'avaient pas été aussi densément occupés un jour de semaine.

On ignore pour l'instant dans quelle direction

s'orientent les recherches de la police. L'enquêteur Yann Féroc, chargé des deux dossiers, a rendu visite hier à monsieur Loïc Kervarec, propriétaire de l'entreprise du même nom et principal concurrent des Produits Le Guern, mais rien n'indique un lien entre cette rencontre et les vérifications policières. Monsieur Kervarec a refusé tout commentaire, en ajoutant cependant qu'il souhaitait voir la police accorder plus d'importance aux éléments factuels du dossier qu'à la rumeur publique. De son côté, l'enquêteur Féroc a refusé d'indiquer si la police qui a effectué plusieurs patrouilles minutieuses le long du Blavet en compagnie d'un chien pisteur a retrouvé l'arme utilisée lors du second meurtre. Aux journalistes de l'extérieur de la Bretagne qui faisaient pression sur lui pour obtenir des informations à jour sur l'enquête, l'inspecteur Féroc a demandé qu'on laisse d'abord à la famille le temps de pleurer ses absentes. Certains ont considéré la réponse comme une esquive.

On peut penser que les prochains jours seront déterminants pour la réorganisation de l'entreprise que dirige madame Anne Le Guern.

Nous réitérons nos condoléances à la famille éprouvée.

Nord-Ouest, section de Pontivy

28

Le vendredi 4 octobre

Le bluffeur se rengorgeait. Pharand avait rarement vu Marceau aussi satisfait.

– À côté de moi, David Copperfield est un aveugle. Le technicien a trouvé tout ce que j'avais prédit. Visite d'un intrus dans l'ordinateur après le départ de la demoiselle pour la Bretagne. Empreintes d'Henri dans tous les papiers intimes de Marie-Françoise. Du gâteau!

– J'attendais que tu donnes congé à ton rayon X pour te poser humblement quelques questions. As-tu quand même pris la peine de lire quelques pages du journal de Marie-Françoise? Ce n'était peut-être pas nécessaire...

Pharand s'aperçut qu'il imitait le « picossage » de Marceau. Il mit les freins: l'autre avait de bonnes raisons de pavoiser.

– J'ai feuilleté, mais je n'ai pas tout compris. La demoiselle n'est pas une bretteuse. La plupart du temps, tu as trois lignes. Beaucoup d'abréviations, d'initiales. Quand c'est plus long, tu mets les freins: c'est qu'il se passe quelque chose. J'ai laissé les cahiers sur son pupitre, mais écoute, tu vas voir le genre: « F. possessif à faire peur.

Solution : fait accompli. » « GM insiste : voudrait tout de suite. » Le pire, c'est cela : « Peur de ma famille. Peur de moi aussi. Aucun lien entre nous : GM vs mère, mère vs père, moi vs mère, B vs LG, J vs Bretagne... Mon seuil de tolérance? Fosse aux lions pour la vie? »

— Fascinant! C'est drôlement concentré. Ce n'est pas toujours plus clair que les rapports d'experts, mais au moins c'est compact.

— Penses-tu que je devrais tout lire?

— À toi de voir. Ce que tu viens de me lire, c'est à la suite?

— Non, non! J'ai pris une ligne ici, une ligne là.

— Je te laisse mettre des noms ou des prénoms en face des initiales. Moi, je parle à Féroc pour me mettre à jour, puis je téléphone à Vancouver.

Pharand trouvait toujours un peu injuste de relancer Féroc au moment où l'autre avait encaissé le poids du jour : six heures de plus, ça cogne. Féroc, pourtant, se déclara en bonne forme.

— Je ne te dis pas que je botterais le ballon comme dans ma jeunesse, mais ça soulage de moucher une terreur.

Il avait apprécié son affrontement avec Kervarec. Rien comme une banderille bien placée quand le taureau se prend pour un autre. Il se demandait cependant si sa conversation avec Angélique Budoc n'aurait pas dû se situer avant la rencontre avec Kervarec.

— J'aurais pu mettre en charpie ce qu'il me racontait à propos de Viviane Le Guern.

— D'un autre côté, répliqua Pharand, ce

qu'elle t'a dit, est-ce que ça renforce ton soupçon de chantage? Si Viviane et Kervarec se sont aimés, ce n'est peut-être pas pour obtenir plus d'argent qu'elle accepte de le voir.

— Je ne sais pas, André. Kervarec a une famille. Il la montre souvent parce qu'il a des ambitions politiques et il n'aimerait sûrement pas que de vieilles histoires remontent à la surface. D'un autre côté, ma vieille maîtresse d'école ne m'a pas renseigné seulement sur les anciennes amours du patelin. Je m'aperçois que je n'ai pas regardé d'assez près le dénommé Bréhaut.

— Le mari de l'autre petite-fille Le Guern? C'est ça, son nom : Bréhaut?

Les hypothèses devenaient plus fournies au sujet des initiales relevées par Marceau dans le journal de Marie-Françoise. Pharand lut les quelques lignes à Féroc et testa quelques-unes de ses hypothèses sur le Breton. Si les lettres GM désignaient la grand-mère, oui, on pouvait lire le condensé « GM vs mère » comme référant à la pauvre relation d'Anne Le Guern avec sa fille. « Mère vs père » évoquait probablement le divorce de Viviane, peut-être aussi d'autres complications. « Moi vs mère » n'a pas besoin d'exégèse. Les deux femmes vivaient dans la même ville, mais en appartements différents, et la mère était visiblement tenue à l'écart des confidences échangées entre Marie-Françoise et sa grand-mère.

— Tu viens peut-être de décoder le suivant, fit Pharand. « B vs LG. » Penses-tu à la même hypothèse que moi?

— Bréhaut. Bréhaut qui viserait le contrôle de l'entreprise Le Guern... Quand je pense que ma vieille institutrice voit tout ça sans sortir de sa cuisine, ça me donne le goût de retourner à la petite école! Si nous avons raison, cela signifie que Marie-Françoise savait à quoi s'attendre: si elle s'installait en Bretagne, elle forcerait Bréhaut à puiser dans une provision de patience qui m'a l'air pas mal épuisée. Le peu que j'ai vu du monsieur depuis quelques jours me donne l'impression que ce n'est justement pas un gars patient.

— Deux choses encore, Yann. Il y a une devinette dont nous n'avons pas parlé: « J vs Bretagne ».

— Ça ne me dit rien, mais le J me rappelle ce que ton banquier t'a dit.

— J'avais la même hypothèse. J'aurai peut-être une réponse après mon appel à Jacinthe Asselin tout à l'heure. L'autre chose, c'est ce que tu m'as dit à propos de quelqu'un qui en sait trop long. Soupçonnes-tu toujours un journaliste?

— Justement. J'allais oublier de te parler de quelque chose d'important: le dernier article du journal.

— Tu ne me l'as pas faxé...

— Mes excuses. Je répare l'erreur, comme vous dites, « au plus sacrant ». Je pense que la personne qui en sait trop pour mon goût vient de commettre un impair. Le journal insiste sur le fait que la police - ton ami Féroc en l'occurrence - refuse de dire si elle a trouvé l'arme qui a servi au second meurtre.

— Mais...

— Tu as pigé tout de suite, mon André : le seul à savoir que l'arme du premier meurtre ne pouvait pas servir au deuxième, c'est celui qui a jeté ou échappé le marteau dans le Blavet. Lui le sait, Clovis, Rex et moi le savons, personne d'autre.

— Le meurtrier... Ou un complice. À moins qu'il y ait un bavard dans ton laboratoire.

— Ce serait bien la première fois. Et puis, notre toubib est un vieux bougon qui ne parle à personne.

— Donc, un lien existe entre le meurtrier et le journaliste.

— Ou c'est la même personne.

— Comme tu dis. En te disant cela, je ne perds pas de vue que Kervarec a ses entrées au journal. Gros annonceur, personnalité en vue, il cultive les bonnes relations avec la presse. C'est forcément lui qui a renseigné le journal sur ma visite chez lui. Il a voulu accréditer sa version avant que j'en donne une. Et Kervarec a tout intérêt à aggraver le désordre et la bisbille à l'intérieur de la famille Le Guern.

— Ce que le journaliste a écrit au sujet de la petite-fille préférée d'Anne Le Guern pourrait venir de Kervarec? Pour déstabiliser Anne Le Guern? Pour faire bouillir Bréhaut?

Ils se quittèrent sur un curieux croisement de « bonsoir » et de « bonne après-midi ».

29

Le vendredi 4 octobre

Le téléphone fut cueilli à la première sonnerie. Une voix jeune, très jeune même, pétillante de vie.

– Allô!

– Jacinthe Asselin, s'il vous plaît.

– C'est moi. Vous devez être le policier québécois dont mon banquier m'a parlé. C'est rare que je parle français, mais j'ai bien vu que vous étiez francophone.

Elle-même parlait français sans accent, mais avec une prudente lenteur dans le débit. Un français sans doute ingurgité en même temps que le lait maternel et que la rouille ralentissait faute de stimulation.

– Oui, c'est moi. André Pharand, de la police de la ville de Québec. Nous menons une enquête dans laquelle votre nom a été mentionné. Le directeur de la Caisse populaire de Saint-Sacrement à Québec m'a dit qu'il avait obtenu votre permission pour me communiquer votre numéro de téléphone. C'est exact?

– Oui, oui, c'est exact. Je n'ai rien à cacher.

Belle image que nous avons! se dit Pharand. Dès que nous approchons, les gens se promènent le plumeau sur la conscience au cas où... Elle avait hâte qu'il en finisse avec les travaux d'approche! À partir de là, tout s'embrouilla très vite. Marceau, qui surveillait la scène, assistait à la montée de l'étonnement et du malaise dans la figure de son collègue. D'un geste, il demanda s'il devait écouter la conversation. Pharand, concentré à l'extrême, mit un instant avant de sortir de sa bulle et de donner son accord.

— J'ai quelques questions à vous poser, mademoiselle Asselin, mais je ne sais pas trop si j'ai le droit d'aller bien loin. Êtes-vous majeure?

— À mon âge, monsieur Pharand, ce n'est pas ça, une question indiscrète. Oui, j'ai vingt ans.

— Êtes-vous née à Vancouver?

— Non, j'étudie ici depuis deux ans. Simon-Fraser. En administration. Avant je vivais à Toronto.

— Avez-vous déjà vécu au Québec?

— Quand j'étais bébé, j'ai vécu au Québec. Dans la ville de Québec. Mais je ne m'en souviens plus. Mes parents se sont séparés avant que je commence à marcher. Je devais avoir trois ans quand mon père m'a emmenée avec lui. À Montréal d'abord, puis à Toronto. Mais pourquoi m'appelez-vous?

D'un grand geste giratoire, Marceau encourageait Pharand à accélérer la manœuvre. Celui-ci, stylo agité à la main, avait déjà souligné à plusieurs reprises le nom de Jacinthe Asselin en y annexant les premiers renseignements.

— J'y arrive, mais je tiens à vous dire que vous

pouvez refuser de répondre à mes questions quand vous voudrez.

— Vous me rendez nerveuse, monsieur Pharand. Est-ce que je suis accusée de quelque chose?

— Non, pas du tout. Vous recevez deux mille dollars chaque mois?

Elle acquiesça d'une voix qui s'était éteinte.

— Pouvez-vous me dire pourquoi on vous envoie cet argent?

— Est-ce qu'il faut une raison? Je n'ai rien demandé. Les chèques ont commencé il y a quatre ou cinq ans et c'est tout. Est-ce qu'on me reproche quelque chose?

— Vous savez forcément qui vous les envoie...

— Bien sûr! C'est ma mère.

Pharand et Marceau étaient frappés de stupeur. Pharand mit un instant avant de reprendre le fil de la conversation.

— Viviane Le Guern, c'est votre mère?

Pharand avait failli utiliser le passé.

— Oui, j'ai pris le nom de mon père parce que je m'entendais mieux avec lui. Je n'ai aucun souvenir de ma mère et je n'ai jamais su pourquoi ma sœur est restée avec elle et pourquoi moi je suis partie. Quand j'ai quitté Toronto, j'ai écrit à ma sœur parce qu'elle m'avait parlé des cadeaux de notre grand-mère. Je ne sais pas comment elle a fait, mais je reçois de l'argent depuis ce temps-là. Ça passe par ma mère, mais ça doit venir de notre grand-mère. Chaque année, j'envoie un mot de remerciement à ma mère, mais nous ne nous parlons jamais. Et elle ne me répond pas.

Nouveau mystère, constata Pharand, plutôt déboussolé : aucune référence à Kervarec. À l'autre bout, la jeune fille s'interrompit.

— Mais pourquoi toutes ces questions? Je reçois de l'argent de ma mère, cela me permet de vivre à mon goût et d'étudier ce que j'aime. Je ne dois quand même pas être le seule fille de vingt ans que sa famille fait vivre. What the hell, monsieur Pharand, montrez vos cartes!

— Une dernière question, mademoiselle Asselin, avant de répondre aux vôtres. Vous êtes donc la sœur de Marie-Françoise Le Guern?

— Oui, bien sûr, puisque nous avons les mêmes parents.

Elle s'impatientait et Pharand sentait bouger en elle quelque chose du tempérament volcanique des femmes Le Guern.

— J'ai des mauvaises nouvelles pour vous, mademoiselle Asselin. De très mauvaises nouvelles. Personne ne vous a appelée de Bretagne?

— Je n'ai aucun lien avec la Bretagne. Ma mère y est née, mais pas moi. Et elle m'a enlevé le goût de connaître ce pays-là.

Pharand ne pouvait plus la faire attendre.

— Mademoiselle Asselin, votre mère est décédée il y a maintenant plusieurs jours. Personne ne nous a parlé de vous et c'est pourquoi nous ne vous avons pas avertie plus tôt.

Le silence dura peu.

— La seule qui aurait pu vous parler de moi, c'est Marie-Françoise. Mais elle m'avait juré de ne donner mon adresse à personne. Quand elle partait pour la Bretagne, on se taisait toutes les deux.

— Marie-Françoise aussi est décédée.

Cette fois, la réaction fut instantanée.

— Dans le même accident? Elles étaient ensemble?

— Il ne s'agit pas d'accidents. Elles ont été assassinées toutes les deux, mais pas le même jour. Nous cherchons à comprendre.

— Est-ce qu'il est trop tard pour que je me rende à Québec? J'imagine que c'est ce que je dois faire.

— Elles étaient en Bretagne quand elles ont été assassinées et les funérailles ont déjà eu lieu. Je suis désolé.

Pas de larmes, du moins pas encore. Un choc énorme sans doute, mais dont les conséquences n'apparaissaient pas encore. En quelques secondes, la jeune femme avait subi une démolition en règle.

— Avez-vous des questions à me poser? demanda Pharand.

Devant son silence, Pharand ajouta que lui devrait, mais pas immédiatement, lui en poser encore quelques-unes. Il n'expliqua pas ce délai, un peu gêné d'avoir lui-même à s'ajuster à ces dernières révélations.

— Je vous rappellerai très probablement demain.

Il n'avait pas eu le courage d'avertir la jeune fille qu'elle ne pourrait peut-être plus compter sur la poste pour lui apporter de quoi vivre. Visiblement, la jeune fille ignorait le rôle de Kervarec dans le versement de sa plantureuse rente mensuelle. Et Marie-Françoise n'était plus là pour expliquer pourquoi le SOS lancé par sa sœur à l'adresse de leur grand-mère avait atteint un autre destinataire. Anne Le Guern n'avait peut-être jamais été alertée. Pharand et Marceau contemplaient tous deux leur appareil téléphonique comme s'il venait de leur jouer un sale tour.

— Féroc a rencontré la grand-mère plus d'une fois, murmura Marceau d'une voix traversée par la colère, et il ne nous a jamais parlé de Jacinthe. Est-ce que la tribu Le Guern déteste la fille encore plus que la mère? Vois-tu ça, toi? Ne pas avertir une fille que sa sœur et sa mère sont mortes, c'est du sadisme.

Pharand n'enchaîna qu'après un silence.

— Si c'est ça qui s'est produit, tu as raison : c'est une dégueulasserie. Mais, ajouta-t-il en agitant un index prudent, je commence à me demander si la grand-mère avait entendu parler de Jacinthe.

Marceau ne réagit pas. L'hypothèse ne passait pas facilement.

— J'appelle Féroc tout de suite, conclut Pharand. Il va sûrement échapper quelques « tonnerre de Brest » ... Puis, on se réaligne, toi et moi. Je n'ai jamais eu l'air fou comme ça.

Marceau tardait à retrouver ses esprits.

— Au moins, fit-il, Féroc va être content d'apprendre quelque chose que son journaliste ne sait pas...

Il s'interrompit avant même de terminer sa phrase.

30

Le vendredi 4 octobre

— Féroc non plus ne comprend pas, déclara Pharand. On nous oblige, lui et nous, à avaler une couleuvre de format boa : une fille de vingt ans sort d'une boîte à surprise et personne n'en a jamais entendu parler. Trop gros pour ma petite tête!

— Tu charries un peu, André. On ne nous en a pas parlé, mais il y avait des traces d'elle : sa mère lui envoyait des chèques et sa sœur parlait d'elle dans son journal.

— Traces, traces, il faut le dire vite, fulmina Pharand. Ça ressemble plus à une conspiration : tout le monde complote pour qu'on passe à côté de Jacinthe. D'accord, la mère et la fille parlent d'elle, mais elles la réduisent à une initiale. Pour la trouver derrière l'initiale, il a fallu que toi et moi on fouille dans les carnets de caisse et qu'on décode les papiers intimes. Quand je rencontre la mère, elle ne m'en dit pas un mot. Elle n'avertit même pas Jacinthe de la mort de sa sœur. Quand tu parles au père, il a la voix pleine d'eau, mais il ne dit pas un mot de son autre fille. En Bretagne, c'est la même chose : la grand-mère n'en dit pas un mot à Féroc et ne demande à personne d'avertir

Jacinthe. Et Kervarec, qui la fait vivre, ne sait peut-être même pas qu'elle existe. Tu jurerais que cette enfant-là a la lèpre! Je pensais que la tribu traitait mal Viviane, mais, bon Dieu, ce n'était rien!

Pour une fois, c'est Pharand qui se mettait en orbite et Marceau qui attendait la décompression.

— Attention, André, ce n'est pas bon de s'énerver comme ça à ton âge...

Pharand s'ébroua.

— Je transmettrai ton conseil à Féroc. Il était encore plus estomaqué que moi. Il était déjà prêt à jouer du bazooka avant de raccrocher le téléphone. Sa première intention était d'engouffrer le dénommé Bréhaut, le gendre, dans son hachoir à poisson, mais ses priorités viennent de changer: il s'en va chez la grand-mère. Ce sera à son tour de parler fort. Demain matin, à la première heure, il convoque Kervarec.

— Et nous?

— Moi, je vais suivre ton conseil. Je vais laisser redescendre mon adrénaline avant d'appeler papa Asselin pour lui demander des détails sur sa famille secrète. Je retourne ensuite dans les papiers de Viviane Le Guern, la mère. De ton côté, fais-toi accompagner par le technicien si tu veux, mais fouille dans les secrets de Marie-Françoise.

— Le journal, ce ne sera pas très long.

— Je pensais aussi à l'ordinateur. Si elle se préparait à gérer les Produits Le Guern, il doit y avoir des renseignements dans le disque dur. Ça va aller plus vite que d'essayer de faire parler la grand-mère!

— On se calme, André, on se calme! Je prends mon carrosse de débile léger ou j'embarque avec le technicien.

Marceau en arrivait aux dernières heures de sa dépendance à l'égard de ses béquilles et son humeur s'améliorait en conséquence. Il avait prêté sa voiture à transmission manuelle à un confrère et se promenait avec un véhicule qui décidait à sa place des changements de vitesse et le dispensait d'utiliser son pied gauche. Et ça achevait!

Pharand retrouva dans sa paperasse l'arbre généalogique à trois paliers qu'il avait établi au début de l'enquête et qu'il ne croyait pas devoir retoucher. Sous le nom de Viviane Le Guern, qui occupait l'étage intermédiaire, il traça une large accolade et lui fit englober les noms de Marie-Françoise (vingt-trois ans) et de Jacinthe (vingt ans). Il avait failli effectuer les corrections au crayon de plomb, au cas où cette famille de cachottiers lui réserverait encore des surprises.

La conversation avec Raymond Asselin adopta rapidement un autre ton que lors du premier contact effectué par Marceau.

— Quand on vous a appris les décès de votre ancienne épouse et de votre fille, Marie-Françoise, vous n'avez pas parlé de votre deuxième fille, monsieur Asselin. Pourquoi?

— J'y ai repensé, monsieur Pharand, et je pense que mon réflexe a été le bon: notre vie familiale ne vous regarde pas. On m'a appris de mauvaises nouvelles et on l'a fait correctement. Je vous en remercie encore une fois, mais je n'ai pas vu et je ne vois toujours pas pourquoi la police veut faire enquête sur nos relations familiales.

Pharand se rappela le conseil de Marceau: « On se calme! »

— Vous auriez parfaitement raison, monsieur Asselin, s'il n'y avait pas eu deux assassinats en quelques jours dans votre ancienne belle-famille. Votre formation doit vous rendre sensible aux questions de succession et d'héritage, non? Dans mon métier, les crimes ont des motifs et l'argent en fait souvent partie. Cela justifie des questions. Préférez-vous que je passe par une voie plus officielle et que notre conversation devienne un interrogatoire en règle?

— Je réserve ma réponse, monsieur Pharand. Que voulez-vous savoir exactement?

Asselin avait eu le temps de réfléchir et de se raidir. Avait-il consulté un spécialiste? Probable, car les professionnels d'aujourd'hui sont souvent regroupés de façon multidisciplinaire et le bureau voisin de celui d'Asselin était peut-être occupé par un avocat. S'il renâcla un peu chaque fois que les questions de Pharand glissaient vers les motivations, il fut précis au chapitre des faits.

— Mon ex et moi nous sommes mariés sans réflexion suffisante. Elle tenait à s'éloigner de la Bretagne aussi vite que possible et Québec lui convenait aussi bien que n'importe quelle destination éloignée. Quand Marie-Françoise est née, notre relation marchait vaille que vaille. Quand Jacinthe est arrivée deux ans plus tard, c'était déjà la fin. Viviane est demeurée à Québec avec les deux enfants et je suis parti travailler à Montréal. J'ai refait ma vie et je ne sais pas ce qu'elle a fait de la sienne. J'ai versé une certaine pension, mais cela ne suffisait pas. Quand elle m'a réclamé davantage, ma femme et moi lui avons fait une proposition. Nous ne pouvions pas avoir d'enfants à nous et nous avons offert d'élever Jacinthe. Elle pouvait s'adapter à nous plus facilement que sa sœur aînée. Jacinthe a grandi avec nous à Montréal, puis à Toronto. Cela a duré jusqu'à ce que Jacinthe décide de voler de ses propres ailes. Rien n'allait plus entre ma femme et elle. Depuis, les ponts sont rompus. Tous les ponts.

— Il y a trois ou quatre ans de cela?

— Exact, fit Asselin. Autre chose, monsieur Pharand?

— De quoi vit Jacinthe, monsieur Asselin?

— Aucune idée. Elle ne nous a rien demandé et nous n'avons rien offert.

— Si elle se trouvait maintenant dans le besoin, pourrait-elle s'adresser à vous?

— Parlez-moi plutôt des progrès de votre enquête, monsieur Pharand.

— Je vais me montrer aussi discret que vous, monsieur Asselin. Merci des renseignements. J'espère ne pas avoir à vous rappeler.

Ouf! se dit Pharand. J'ai bien failli sortir de mes gonds. Si sa fille ne demande rien, il n'a rien à offrir. Si ce bonhomme-là savait quelque chose au sujet des chèques adressés à sa fille, il aurait le culot de demander une part! Ce qui signifie qu'il ne le sait pas. Ce qui signifie aussi, se dit-il avec tristesse, que Jacinthe est en vilaine posture : un père aussi chaleureux qu'une porte de prison, plus de mère, plus de sœur et probablement plus de rente viagère.

Repensant à Asselin, Pharand, à condition de s'en tenir au calme récemment valorisé par Marceau, lui pardonnait aisément de n'avoir pas parlé de Jacinthe. Il ignore probablement où elle est et elle le garde soigneusement dans l'ignorance. Il la considère probablement comme une fille adoptive plutôt ingrate. Le policier s'empressa de noter, pendant qu'elles lui venaient à l'esprit, quelques imprécisions qu'il faudrait lever. Quand exactement avaient commencé les chèques? Jacinthe avait-elle levé l'ancre avant ou après le début des versements? Comment et pourquoi s'était amorcé ce financement plutôt bizarre qui utilisait Viviane Le Guern comme escale entre Kervarec et Jacinthe? Il corrigea ensuite cette dernière question : sur quoi se basait-il pour transformer Viviane en escale? Rien ne démontrait que Kervarec savait comment Viviane disposait de ses trois mille dollars mensuels. En revanche, il souligna de deux traits insistants le mot de testament, ce mot auquel Asselin n'avait pas réagi et que Viviane avait prononcé avec dédain au moment de leur courte et orageuse rencontre. L'hypothèse lui vint à l'esprit d'une collusion entre Viviane et Kervarec : une rente viagère à titre d'avance sur l'héritage ou une part d'héritage... Ni pardon ni testament, avait-elle dit. Les confidences de sa vieille institutrice avaient convaincu Pharand que, en effet, le pardon ne serait pas facile. Quant au testament, la subite entrée en scène de Jacinthe le rendait encore plus intéressant. Marceau avait bien raison de le décrire comme un retriever toujours sur la piste de l'argent, mais cela lui avait souvent servi...

Se remémorant les propos et surtout l'attitude de Viviane Le Guern, Pharand allongea sans peine sa liste de questions. Étrange comportement que celui d'une mère qui expédie fidèlement des milliers de dollars à sa fille, mais qui ne répond pas à ses lettres. Il était pourtant facile pour Viviane de parler à sa fille ou de lui écrire sans se heurter au père : Jacinthe a quitté Asselin et Viviane connaît la nouvelle adresse de sa fille. Étrange aussi que Viviane gagne la Bretagne pour assister aux funérailles de Marie-Françoise, mais qu'elle garde Jacinthe dans une ignorance cruelle. D'autant plus étrange que la première réaction de Jacinthe a été, lors de sa conversation téléphonique avec Pharand, de songer à s'y rendre. Alors?

31

Le vendredi 4 octobre, 20 h

Quand Féroc, après avoir téléphoné à Anne Le Guern, se présenta à la résidence familiale en début de soirée, le grand vivoir avait repris ses anciennes fonctions et évacué toute trace du rôle de salon mortuaire qu'il avait assumé. Anne Le Guern le fit asseoir dans le même fauteuil et lui prêta la même attention. Féroc présenta de nouveau ses condoléances et s'informa courtoisement de la santé de la maîtresse de maison. Il ne réussit pourtant pas à la tirer d'une méfiance palpable. Elle pratiquait une politesse distante et froide qui contrastait presque douloureusement avec les salutations chaleureuses dont ils se faisaient mutuellement cadeau depuis des années lors de leurs rencontres sur les parvis d'églises.

— Notre enquête n'est pas encore terminée, mais elle progresse. Je souhaiterais que vous m'aidiez à l'accélérer.

Pas un mot. Une attente glacée, presque accusatrice.

— Je peux imaginer vos doutes, mais je vous donne ma parole qu'ils ne sont aucunement fondés. Ce n'est pas par suite d'une négligence de notre part que l'ancien compagnon de Marie-Françoise a pu quitter la France. Henri est d'ailleurs entre les mains de la police québécoise. D'autre part, ce n'est pas la police qui répand des indiscrétions et des rumeurs cruelles au sujet de votre famille.

Il laissa aux mots et à leur sens le temps de pénétrer l'âme d'Anne Le Guern. Il n'eut pas l'impression de lui avoir offert de l'inédit. La tension qui bloquait les minces maxillaires avait quand même un peu reflué. Pas assez cependant pour qu'elle réagisse ouvertement aux dénégations de Féroc. Il dut s'avancer davantage.

— Vous savez d'ailleurs que certaines personnes, dont les intentions ne sont pas désintéressées, suivent mes gestes de si près que je me sens sous surveillance. Quelqu'un est si bien informé qu'il a forcément des contacts privilégiés et inquiétants avec le meurtrier.

Ce n'était pas transparent, mais elle pouvait décoder le message. Il espérait que ce soit suffisant pour faire tomber certaines de ses préventions.

— Plus j'avance, madame Le Guern, plus je suis certain que les drames qui vous frappent ont des causes qui remontent loin dans le temps. Je suis trop jeune pour bien les connaître et je vous demande, vous qui les connaissez, de m'en dire quelque chose.

Toujours rien. Féroc ne ressent aucune propension à la brusquerie. Mais cette femme tient du granit et elle semble croire, d'une sincérité farouche, que le silence engendre moins de dégâts que les révélations même les plus dosées. D'ailleurs, maintenant qu'elle a tout perdu, les confidences lui paraissent sans doute infiniment futiles, en particulier celles que sollicite un policier qui patauge misérablement.

— Madame Le Guern, puisque vous ne voulez pas venir à ma rencontre, je vais aller vers vous. J'aurais préféré ne pas avoir à me montrer aussi envahissant. Je ne le fais pas de gaieté de cœur.

Il fit une pause avant de se lancer. Il n'avait même pas levé le regard vers elle, tant il la savait rebelle aux confidences.

— Lorsque l'affrontement s'est produit autrefois entre votre mari et Patrick Kervarec, monsieur Le Guern a été victime des tricheries de son concurrent. Vous estimez que le décès de votre mari découle au moins en partie de la mauvaise foi de monsieur Kervarec. Vous avez été horrifiée quand monsieur Kervarec, en plus d'empoisonner la vie de votre mari et de le conduire à la tombe, a eu la grossièreté d'exercer des pressions sur vous pour que vous lui cédiez votre entreprise. Vous avez juré que cela ne se produirait jamais. Quand Patrick Kervarec est décédé à son tour d'un accident survenu sur la terre qu'il avait filoutée, vous avez pensé que la menace était écartée. Ce n'était pas le cas.

Il avait débité son résumé en tenant son regard tourné vers le sol. Quand il le releva vers le visage d'Anne Le Guern, il fut frappé du changement intervenu.

— Continuez, fit-elle.

C'étaient ses premiers mots. Elle concédait quelque chose.

— Vous avez ensuite appris que Loïc Kervarec tournait autour de votre fille Viviane. Elle était votre seule enfant depuis la mort de sa sœur. Vous n'avez voulu courir aucun risque et vous avez sommé Viviane de rompre tout lien avec le fils Kervarec. Elle vous a pris au mot et s'est mariée sans doute par bravade avec un Québécois qui l'a aussitôt emmenée au loin. Après quelques années, je ne sais trop comment, Viviane vous a fait connaître sa fille.

— Des photographies. Sans un mot.

— Entre vous et Marie-Françoise, quelque chose de très beau s'est ensuite développé.

C'était à elle maintenant de détourner son regard, sans doute parce qu'une buée le troublait.

— Dès que Marie-Françoise a grandi, elle a su qu'elle pouvait compter sur vous. Sur vous seule. Son père s'était remarié et ne lui donnait aucun signe de vie. Sa mère avait péniblement vécu le divorce. Elle vous a confié tout cela ou bien dès le premier voyage que vous lui avez offert auprès de vous ou peu à peu, je ne le sais pas. La suite est presque publique : vous l'avez aidée financièrement, vous l'avez encouragée dans ses études, vous l'avez familiarisée avec votre entreprise. Elle avait un but. Et vous saviez, de votre côté, à qui vous remettriez la gouverne de votre entreprise.

Féroc s'arrêta. Anne Le Guern demeurait droite sur sa chaise, mais un certain affaissement témoignait du travail que le chagrin accomplissait en elle. Elle n'était plus seule à porter le poids des secrets.

— Pour le reste, j'aurais besoin de votre confiance. Je soupçonne des choses, mais d'autres me font défaut. Faites-moi l'amitié de me dire où je me trompe, que je ne fasse pas porter mes soupçons sur des personnes innocentes.

Féroc ne se berçait pourtant pas d'illusions. Il n'attendit qu'un instant un engagement qui d'ailleurs ne vint pas.

— L'entrée en scène de Marie-Françoise a déclenché un drame. Ses études achevaient, elle avait assimilé toutes les informations sur votre entreprise. À peine quelques formalités universitaires de plus et elle prenait place à vos côtés. Le mari d'Ariane vous a sûrement exprimé son désaccord. Quand l'ami québécois de Marie-Françoise s'est présenté, vous avez eu peur. Peur que Fernand Henri réussisse à vous priver de Marie-Françoise, peur de la violence que vous sentiez chez Michel Bréhaut, peur aussi que Loïc Kervarec profite des incertitudes autour de vous pour réveiller ses vieilles ambitions. Le pire s'est produit et nous ne savons pas encore par la faute de qui. Je pense que vous avez alors commis un geste qui a dû vous coûter énormément : vous avez parlé à Viviane et vous avez accepté toutes les deux de faire la trêve devant la tombe de Marie-Françoise. Elle avait fait un geste d'apaisement en revenant en Bretagne et les choses auraient pu se passer presque bien. Je ne sais pas si vous lui avez offert de prendre la place que vous aviez préparée pour

Marie-Françoise et je ne sais pas si elle aurait accepté...

— Je lui ai offert de me remplacer. Elle devait me donner sa réponse le lendemain.

— Je vous savais forte, madame Le Guern. Vous l'êtes encore plus que je ne le pensais.

— Cela ne m'a rien valu, répliqua-t-elle. Au contraire. Michel a senti que le décès de Marie-Françoise ne faisait pas de lui mon successeur et il m'a fait une crise devant la tombe. Quant à Loïc Kervarec, il a surgi à l'improviste pour me promettre une période de calme. Je ne l'ai pas cru.

— Madame Le Guern, j'espère que vous excuserez ce qui ressemble à de la brutalité. Après les deux deuils que vous avez subis et le comportement de Michel, le seul espoir qui vous reste, c'est Jacinthe.

En un éclair, Anne Le Guern retrouva son visage de pierre. Son regard avait pris une fixité hallucinée. De longues secondes passèrent sans que soit prononcé un seul mot. Puis une voix blanche murmura :

— Voudra-t-elle?

Elle retrouva peu à peu un semblant de vie. Ses épaules se redressaient comme si elles étaient enfin débarrassées d'un écrasant fardeau.

— Vous ne l'avez pas connue, reprit Féroc, parce qu'elle a habité avec son père à partir de trois ou quatre ans, mais je me doutais bien que Marie-Françoise vous en avait parlé.

De nouveau, la question - « Voudra-t-elle? » - naissait comme un souffle sur ses lèvres. De nouveau, Féroc se demanda où cette femme de presque soixante-dix ans puisait la force d'espérer encore une continuation.

— Me permettez-vous de tâter le terrain? demanda Féroc.

Anne Le Guern, sans un mot, fit signe que oui. Pour la première fois, Féroc la sentait vraiment au bord des larmes.

— Soyez discret, finit-elle par articuler au moment où il franchissait le seuil.

Cette femme a peur, se dit Féroc, mais pas pour elle. Elle n'a pas tout dit et deux meurtres n'ont pas réussi à conjurer la malédiction. Féroc pensa à la vieille Angélique : gare à la suite.

32

Le vendredi 4 octobre

À condition que Féroc consente à rogner sa nuit de sommeil, le décalage horaire lui permettait de rejoindre Pharand et Marceau au moment où, il le savait, ils faisaient le point en toute fin d'après-midi.

— Anne Le Guern aimerait beaucoup recevoir la visite de Jacinthe, déclara Féroc. Ça m'a étonné, mais c'est comme ça. Marie-Françoise lui avait déjà parlé de sa sœur.

— On peut toujours proposer le voyage à Jacinthe, répliqua Marceau, mais disons que, jusqu'à maintenant, nos visiteuses n'ont pas été particulièrement bien reçues là-bas.

Pharand fut presque aussi estomaqué que Féroc.

— Comprenez ce que je veux dire, reprit Marceau. La grand-mère a toujours dorloté Marie-Françoise et elle a déroulé le tapis rouge pour Viviane, ça, je le sais. Je ne fais aucun reproche à la grand-mère. Mais vous admettrez qu'il y a des gens en Bretagne qui n'aiment visiblement pas la visite.

— Vous avez raison, fit Féroc. Je vous comprenais mal. Oui, il y a des précautions à prendre.

Anne Le Guern m'a d'ailleurs demandé la discrétion.

— Elle pense que ce n'est pas fini? demanda Pharand.

— C'est terrible à dire, mais oui, elle a peur de quelque chose. Elle sait pourtant qu'Henri est entre vos mains.

— Elle ne le croit donc pas coupable?

Venant de Marceau, la question aurait pu être agressive, tant il avait insisté pour voir en lui le seul coupable possible. Elle ne l'était pas et Pharand se réjouit du recul que prenait Marceau par rapport à ses propres hypothèses.

— Coupable ou pas d'un ou de deux meurtres, répondit Féroc, Henri est rentré chez vous et il ne fait plus partie de nos risques à nous. Si Anne Le Guern a peur, ce n'est pas de lui. D'après moi, elle a peur pour Jacinthe et ceux dont elle a peur sont tout près d'elle. Si des gens comme Bréhaut et Kervarec se sont mis dans la tête d'isoler Anne Le Guern et de la priver de relève, ils peuvent offrir d'étranges réactions en apprenant que la succession n'est pas encore vacante. C'est ce que j'ai retenu quand elle m'a demandé la discrétion.

Pharand intervint.

— As-tu l'intention de parler toi-même à Jacinthe, Yann?

— Qu'en penses-tu? C'est toi qui l'as retracée. Tu lui as parlé.

— Je peux la rappeler. Je lui ai d'ailleurs promis de le faire. Je ne voudrais pas qu'elle ait l'impression que les policiers se transmettent tous ses secrets. Mais c'est toi qui as parlé à la grand-mère et c'est à toi qu'elle a demandé de l'inviter. Non, plus j'y pense, c'est à toi de lui parler. Jean-Jacques, tu es d'accord?

— Oui, mais il faut quand même avertir Jacinthe qu'elle va mettre le pied dans un nid de vipères, non?

— Laissez-moi y penser cette nuit. Si c'est possible, je parlerai à Jacinthe en me levant. Il sera sept ou huit heures du soir chez elle. Mon idée, à ce moment-ci, serait simplement de lui offrir de rencontrer sa grand-mère. La suite ne nous regarde pas. Si ça marche, je parlerai à Anne Le Guern tout de suite après pour organiser l'arrivée de Jacinthe. J'ai l'impression que la grand-mère va tout prendre en main. Elle pourrait arranger une correspondance entre Charles-de-Gaulle et le petit aéroport breton de Lorient. C'est à une heure d'ici. Ce serait plus discret.

— Pas fou, dit Marceau, mais vous prenez une drôle de responsabilité. Le tueur a l'air au courant de tout ce qui se passe dans la famille et il va être à Lorient avant vous. Et puis je me demande - ne me prenez pas de travers - si nous sommes toujours en train de faire enquête.

— Je ne le prends pas de travers, comme vous dites, monsieur Marceau. Vous avez deux fois raison : je ne veux pas que Jacinthe soit traitée comme une chèvre qu'on attache à un piquet pour attirer le loup et je ne veux pas passer mon temps à jouer les consolateurs des familles. Laissez-moi y penser et merci de l'avertissement.

Pharand se réjouissait du renforcement des liens entre le Breton et Marceau. Il s'était trompé en redoutant le choc entre deux crânes blindés.

— À propos des chèques, Yann, j'ai été capable de remonter à peu près trois ans et demi en arrière. La caisse populaire pourrait peut-être remonter plus loin, mais je ne sais pas si c'est important et on attirerait l'attention. Méfie-toi : Jacinthe a eu le temps de penser depuis mon appel. Elle doit se demander si son financement est mort en même temps que sa mère. Moi, je ne saurais pas quoi répondre. Jean-Jacques?

— Moi, j'ai fouillé dans les papiers personnels et dans l'ordinateur de Marie-Françoise. Deux choses. D'abord, je comprends pourquoi la grand-mère a entendu parler de Jacinthe : les deux sœurs s'écrivaient. Pas souvent, mais elles s'écrivaient. Marie-Françoise a su d'avance que Jacinthe allait quitter son père et elle a demandé à sa sœur de quoi elle allait vivre. Je n'ai pas réussi à décoder la réponse, mais Marie-Françoise a eu l'impression, d'après ce que je comprends, qu'il y aurait une sorte de partage : Viviane financerait Jacinthe, et Marie-Françoise continuerait à recevoir de l'aide de la grand-mère. De fait, c'est ce qui s'est produit.

— Ça me surprendrait, fit Féroc, que la grand-mère et Viviane se soient entendues sur un partage...

— Je ne dis pas qu'elles se sont entendues, précisa aussitôt Marceau. Je ne le sais pas. C'est ce que Marie-Françoise a imaginé, d'après ce que je lis dans ses papiers. Chose certaine, elle ne s'est pas trompée de beaucoup. La grand-mère a continué à la gâter et sa sœur a commencé à recevoir les chèques de Viviane. L'autre chose, poursuivit-il, c'est ce qu'on trouve dans l'ordinateur de Marie-Françoise au sujet des Produits Le Guern. Le technicien en a pitonné un coup...

— André, fit Féroc, tu me traduiras celle-là! Pitonner un coup, c'est ça?

— Wo, les vieux! Je veux dire, et Marceau se trouva un accent pointu, que notre technicien a dû négocier longuement avec le disque dur de Marie-Françoise avant de percer ses défenses... Est-ce que ça va mieux?

Il avait suffi de quelques jours pour que le respect mutuel autorise la taquinerie.

— Oui, oui, continuez!

Au dire du technicien, la jeune femme, sans rivaliser avec les hauts gradés de l'informatique, se défendait très bien: ses mécanismes de protection informatique dépassaient la moyenne. Mieux valait d'ailleurs qu'il en soit ainsi, car les commentaires que se permettait Marie-Françoise en tant qu'étudiante en sciences de l'administration hérisseraient le poil des personnes visées si elles devaient y avoir accès. Si Marie-Françoise emportait son portable avec elle au cours de ses séjours en Bretagne, les blocages prenaient tout leur sens.

— L'organigramme n'est pas compliqué, continua Marceau. Ça ressemblerait plutôt à vos Champs-Élysées avec Anne Le Guern à la place de l'Arc de triomphe. Elle mène tout. J'ai lu les évaluations que Marie-Françoise a faites des responsables des ventes, des achats, de la comptabilité, mais ça ne m'a pas donné grand-chose. C'est clair, ça cogne dur, ça dit ce qu'elle changerait là-dedans, mais ce n'est jamais un blâme direct pour la grand-mère. Elles ont dû en discuter ensemble.

— Et Bréhaut? demanda Féroc.

— Voilà une bonne question! Bréhaut est rattaché à l'exploitation des fermes, mais ce n'est pas lui qui décide des productions. Marie-Françoise le décrit comme un excellent mécanicien: il répare tout ce qui se brise, il joue dans le ventre des moissonneuses-batteuses et les remet en mouvement, il ne lâche jamais un équipement qui s'est arrêté dans le champ tant qu'il ne l'a pas convaincu de redémarrer...

— C'est tout positif, ça, fit Féroc. Et ça ressemble aux bruits que j'entends ici.

— Oui, tant qu'on reste dans la mécanique. Mais Marie-Françoise dit qu'il ne connaît pas les autres aspects de l'entreprise et qu'il tape sur les nerfs d'à peu près tout le monde. Marie-Françoise y est allée à fond de train, parce qu'elle était certaine, c'est elle qui le dit, que Bréhaut n'était pas assez doué pour confesser son ordinateur.

Féroc commenta:

— Cela aurait sûrement donné d'excellentes relations de travail si Marie-Françoise avait remplacé la grand-mère.

— Yann, conclut Pharand, on te laisse dormir. Demain matin, nous terminons nos fouilles dans les papiers et l'ordinateur. Je continue à ne pas comprendre ni pourquoi ni comment on a réussi à escamoter Jacinthe pendant toutes ces années tout en lui donnant une petite fortune. Elle te dira peut-être son secret.

33

Le vendredi 4 octobre

Le rapport de force entre Kervarec et Féroc ne s'établit pas du tout de la même manière qu'à la rencontre précédente. Les épais brouillards qui, à cette heure matinale, recouvraient encore toutes choses y contribuaient peut-être, mais Féroc s'était répété que, cette fois, plus encore qu'au terme de leur récent affrontement, il lui appartenait de mener le jeu. Il avait même songé, pour se faire bien comprendre, à convoquer Kervarec à la station de police de Pontivy, puis, sagement, il s'était incliné devant les risques d'un débordement de rumeurs. La démangeaison se faisait quand même sentir.

Kervarec avait dû se servir à lui-même des conseils aussi agressifs. Chose certaine, d'entrée de jeu, il ne se tenait pas pour battu. Il s'épargnerait cette fois les pertes de temps et les civilités. Il reçut Féroc sans sortir de son bureau, sans même quitter son fauteuil à haut dossier intimidant, abandonnant à la réceptionniste la tâche de faire traverser au policier une salle de travail encore engourdie et presque déserte. Pas de simagrée non plus quant au jeu des fauteuils pour simuler les parités. Pas de poignée de main. Tout juste s'il fit signe de s'asseoir face à lui, de l'autre côté du pupitre directorial.

— Finissons-en, monsieur Féroc. J'aime commencer mes journées de bonne heure, mais c'est pour gérer mon entreprise, pas pour me faire diffamer par un policier.

— Moi non plus, je n'aime pas les pertes de temps, riposta Féroc. Comment expliquez-vous vos versements de trois mille dollars par mois à Viviane Le Guern depuis, très exactement, quarante-trois mois? J'ai pensé au chantage, mais cela a eu l'air de vous déplaire.

— Cela ne concerne que Viviane Le Guern et moi.

— Donc, maintenant que Viviane Le Guern est décédée, les versements vont cesser?

— Je verrai ce que j'ai à faire. Cela ne vous regarde pas.

— Monsieur Kervarec, cela regarde au moins la personne à qui Viviane Le Guern relayait l'essentiel de cet argent et qui veut savoir à quoi s'en tenir. Il n'y a plus d'intermédiaire entre elle et vous. Lui coupez-vous les vivres?

Féroc avait parié dans sa tête de Breton que Kervarec ne verserait jamais d'argent sans pouvoir le suivre jusqu'à son profit. Un éclair de surprise dans l'œil de l'homme d'affaires convainquit Féroc qu'une hypothèse venait de crever misérablement: Kervarec n'était pas une dupe aveugle de Viviane. Il savait à quoi servait, pour l'essentiel, la rente versée à Viviane Le Guern. Il commençait à craindre, pour un motif qui échappait encore à Féroc, que soit rendu public le versement mensuel d'une rente substantielle à une inconnue. Kervarec avait perdu un peu de sa superbe. Peut-être avait-il prévu que la police, qui semblait adhérer à l'hypothèse d'un chantage interrompu par un assassinat, le mette en accusation. Peut-être avait-il mis au point avec son avocat une contestation en règle de la procédure policière à partir d'un alibi ou de quelque autre blindage. Jouteur costaud, il tenta l'esquive.

— Je ne suis pas victime de chantage. Ce que j'ai donné à Viviane Le Guern, je l'ai donné librement et je verrai ce que je dois faire maintenant.

— Ce sera donc à Jacinthe de vous demander de continuer?

Le coup porta. Le prénom, à lui seul, signifiait que la police savait beaucoup de choses.

— Avertissez votre réceptionniste. Si elle reçoit un appel de Jacinthe Asselin, qu'elle sache qu'il s'agit de la fille de Viviane Le Guern. Vous préférerez sans doute que les choses se fassent discrètement. Et vous voudrez bien ne pas lui donner rendez-vous dans un endroit désert.

Féroc n'aurait pas pu dire ce qui déformait les traits de Kervarec. Le sentiment de voir se durcir un encerclement? L'idée d'une accusation publique? En tout cas, c'est d'une voix incertaine qu'il demanda si Jacinthe était en Bretagne.

— Je ne vous donnerai évidemment pas de détail sur son arrivée, monsieur Kervarec.

La phrase portait une terrible insinuation.

Quand Kervarec sortit de ses gonds, Féroc eut d'abord l'impression que c'était ce sous-entendu qui agressait Kervarec.

— Vous êtes complètement fou, Féroc! Vous ne savez pas ce que vous faites.

— On dirait que cela vous choque, fit fielleusement Féroc, que la succession d'Anne Le Guern ne soit pas encore vacante.

— Laissez vos insinuations dans les égouts, Féroc. Je ne vous parle pas de succession ni d'euros à gagner. Je dis que vous êtes un irresponsable de mettre Jacinthe en danger!

— Elle pourrait se faire tuer comme les autres, c'est ça? Une de plus dans le Blavet et les Produits Le Guern sont prêts à tomber dans vos mains? Pourquoi vous en plaindre?

— Féroc, vous êtes ignoble! Vous parlez de ma fille!

Féroc ne fut qu'à demi surpris. Délibérément, il s'était montré odieux pour que l'explication, forcément gênante, surgisse sans frein possible. Il avait envisagé diverses hypothèses: lettres compromettantes que Viviane Le Guern aurait menacé de rendre publiques, révélations à partir de confidences consenties par Kervarec au temps de ses fréquentations avec une Le Guern, pacte avec Viviane Le Guern à propos de l'héritage Le Guern... L'idée que la seconde fille de Viviane Le Guern soit de Kervarec lui avait également effleuré l'imagination.

— Un voyage d'affaires à Montréal. Nous nous sommes revus. Je l'aimais toujours.

Quelques mots suffisaient à désamorcer plusieurs mystères. Étrange amour, se dit Féroc, qui dispense de toute expression de chagrin.

— Pendant au moins quinze ans, vous avez laissé Viviane Le Guern et Marie-Françoise se débrouiller sans vous. Puis, tout à coup, trois mille dollars par mois. Une autre conversion?

Féroc jouait dur. Il ne laisserait pas s'émousser stérilement l'effet de choc causé par l'allusion à Jacinthe.

— Une lettre signée des initiales de Viviane m'a fait savoir qu'elle songeait à revenir en Bretagne pour révéler ma paternité. J'ai envoyé une série de chèques.

Assez peu le genre de l'abrupte Viviane, se dit Féroc. Mais ni le passé ni cette rente n'intéressaient Kervarec. C'est l'avenir immédiat qui le terrorisait. Pour une fois, il semblait sincère.

— Féroc, pensez-y: le tueur va s'attaquer à Jacinthe aussitôt qu'elle va se montrer.

— Vous en savez long, monsieur Kervarec, plus long que moi. Vous semblez connaître les motifs du tueur. Videz donc votre sac, que je puisse protéger Jacinthe. C'est vous qui alimentez le journal?

Kervarec ne nia pas. Du moins pas en totalité.

— Tout ne vient pas de moi. Pas ce qui vous concerne, ni ce qui regarde le Québécois. Je voulais diviser la famille Le Guern. Je ne pensais jamais qu'il tuerait.

— C'est forcément vous qui avez ébruité ma première visite ici. Devez-vous quelque chose à ce journaliste?

Féroc croyait bien que Kervarec protesterait contre cette nouvelle allusion au chantage, mais Kervarec n'écoutait plus.

— Je ne veux pas que vous mettiez Jacinthe en danger. Laissez-la où elle est, au moins jusqu'à ce que vous ayez arrêté le tueur.

— Cessez vos simagrées, Kervarec, et parlez-moi du tueur. Ce sera la meilleure protection possible pour Jacinthe. Vous semblez savoir très bien d'où peut venir la menace.

— Je ne suis certain de rien.

Féroc se leva. D'étape en étape, après un instant de sincérité qui lui venait presque par inadvertance, Kervarec recommençait ses calculs. Il reprenait d'une main ce qu'il venait de concéder de l'autre. Il voulait protéger sa fille, mais il supputait les risques pour sa carrière. Il craignait d'être perçu par l'opinion publique comme un manipulateur et le complice de deux meurtres. Tout obtenir sans rien risquer. Féroc n'entretenait aucune sympathie pour les prédateurs, surtout s'ils prétendent ne jamais assumer le poids de leurs crimes.

— Jacinthe est en route, monsieur Kervarec.

Féroc revenait à des formulations plus froides, plus officielles. Le « monsieur » rétablissait la distance et laissait affleurer un certain mépris.

— Elle vient sur l'invitation de sa grand-mère. Si le tueur demeure en liberté, il comprendra probablement aussi bien que vous l'intention de madame Le Guern. Je ferai tout pour protéger Jacinthe, mais ne blâmez que vous si votre silence lui cause du mal.

Kervarec en arrivait aux injures. Féroc tourna les talons sans ajouter un mot. Il arrivait à la porte du bureau lorsque Kervarec hurla:

— Bréhaut! Arrêtez Bréhaut!

34

Le vendredi 4 octobre

Jusqu'à cette explosion de Kervarec, Féroc avait laissé son futur emploi du temps dans le flou. Bien sûr, tout convergeait depuis quelque temps pour attirer son attention sur Bréhaut, mais il n'avait encore conclu qu'à la nécessité d'une visite chez celui qui, d'après la vieille Angélique, « n'aurait pas dû ». Kervarec, sans résoudre toutes les énigmes, venait de donner une autre dimension à ses soupçons. Féroc ne perdait pourtant pas de vue que Kervarec avait lui-même d'excellentes raisons de décimer le clan Le Guern. Déjà il s'était révélé capable de travailler à ce résultat par personne interposée. Qu'il s'efforce encore de manipuler la police n'aurait rien d'étonnant.

Féroc roulait à deux pas de son bureau et il faillit s'y rendre directement pour préparer la suite. Cela, comprit-il en un éclair, aurait constitué une imprudence. Il s'abstint du détour et prit immédiatement la route de Saint-Nicolas-des-Eaux. Que savait-il des relations entre Kervarec et Bréhaut? S'ils étaient de connivence, Kervarec était-il déjà en train d'alerter le mari d'Ariane? Depuis sa voiture, il entra en contact avec son bureau, mobilisa Clovis et son labrador, requit une voiture banalisée et deux gendarmes. À Clovis, il demanda d'apporter un vêtement ou un objet ayant appartenu à Viviane Le Guern. Et tout cela, instantanément, mais sans l'éclaboussant pin-pon des sirènes policières. Rendez-vous sur la corniche du Blavet, chez Michel Bréhaut.

Peut-être Féroc avait-il sous-estimé l'aptitude de Kervarec à la dissimulation. Peut-être aussi, gagné par l'amour paternel, Kervarec préférait-il abandonner Bréhaut à la police. Peut-être, au contraire, l'homme d'affaires profitait-il de ce que la police s'intéressait à Bréhaut pour se concocter une défense. Chose certaine, quand Féroc y parvint, strictement rien ne respirait l'affolement à la résidence de Bréhaut. À jurer que Kervarec n'avait que faire de Bréhaut. Féroc, négligeant la maison et son tape-à-l'œil, roula doucement jusqu'à la gueule du bâtiment de tôle où, de toute évidence, s'effectuaient les travaux confiés au mécanicien des Produits Le Guern. Il songea aux commentaires de Marie-Françoise tels que relayés par Marceau et en constata l'exactitude : Bréhaut n'était peut-être pas un intellectuel à exhiber dans les colloques, mais ce qui relevait de lui aurait mérité un prix au concours du rangement. Aucun désordre, aucune carcasse rouillée comme les fermes se complaisent souvent à en étaler, terrain minutieusement entretenu et vierge de traces de cambouis... Il faudrait bien peu de changements d'ordre physique pour que l'environnement professionnel du mécanicien serve de décor à un président d'entreprise.

À pas mesurés, Féroc s'approcha de l'immense atelier de mécanique en pratiquant la diagonale. Il retardait de quelques secondes le moment où Bréhaut, dont l'ouïe de connaisseur avait sûrement entendu la voiture, viendrait identifier son visiteur. Surtout, il laissait ses yeux s'habituer à la demi-pénombre qui régnait dans le bâtiment. Le ciel breton oublie vite ses brouillards de l'aube pour laisser le soleil du midi intimider les yeux. Quand il apparut enfin à l'entrée de l'atelier, lui et Bréhaut étaient à égalité : chacun voyait nettement les gestes de l'autre. Féroc, parti à peine quelques minutes avant Clovis et l'autopatrouille, aurait dans un instant le renfort nécessaire. Le battage des médias avait rendu chacun des policiers prompt à la détente.

Bréhaut ne sursauta pas. Dressées sur son front, des lunettes de soudeur. Aux mains, des gants aux capacités ignifuges. À côté de lui, un étau massif dont la mâchoire tenait un long morceau de métal que Féroc n'aurait su apparenter à quelque fonction agricole que ce soit. La visite de Féroc n'avait rien de la rencontre sociale et Bréhaut n'esquissa même pas l'intention d'une poignée de main. Leur dernier contact avait manqué de cordialité et Féroc était dûment averti que l'autre le tenait responsable des ratés de l'enquête. Bréhaut était campé sur son tiet, jambes écartées et pieds lourdement bottés, carrure en harmonie avec un univers de tracteurs colossaux et de toutes-puissantes déchiqueteuses de maïs. Pourquoi n'aurait-il pas pris les devants?

— Venez-vous m'annoncer que vous avez enfin récupéré votre Québécois?

Il avait raccourci, puis éteint la flamme bleutée de sa torche. Il la déposa sur l'établi, puis tira lentement sur ses gants doigt par doigt et les déposa à côté de l'étau. Quand il tourna ainsi le dos à son établi et fit face à Féroc, le policier modifia l'impression que l'homme lui avait faite quand ils s'étaient entrevus chez Anne Le Guern. Il était alors assis au creux d'un vaste fauteuil et Féroc n'avait noté que la largeur des épaules et l'épaisseur des mains. Un trapu, s'était-il dit. Il se trompait. S'ajoutait maintenant la taille. Féroc ne put s'empêcher de penser aux crânes fracassés de Marie-Françoise et de Viviane Le Guern. Entre les battoirs de Bréhaut, n'importe quel outil pouvait s'abstenir de frapper deux fois. Il avait eu tout à l'heure la même impression devant les poignes et les avant-bras que Kervarec exhibait par vanité, mais Bréhaut, lui, respirait la force avec un inquiétant naturel. Féroc, qui n'avait rien d'une mauviette, mesura ses distances et sa réponse.

— Nous n'avons encore retenu aucune accusation de meurtre contre l'ancien compagnon de Marie-Françoise, fit-il sans quitter Bréhaut de l'œil. De toute façon, il est en prison.

Ils entendirent en même temps le bruit des deux voitures qui venaient encadrer celle de Féroc. Bréhaut, d'un pas brusqué, s'approcha de la grande porte de l'atelier.

— Restez tranquille, monsieur Bréhaut, avertit

Féroc. Nous avons un mandat de perquisition et nous allons l'exécuter.

Les deux gendarmes avaient encadré le mécanicien. Tournés comme Bréhaut vers l'extérieur de l'atelier, ils firent signe à Féroc de regarder dans son dos: partie de la résidence, Ariane Le Guern courait vers eux.

— T'occupe pas de ça, Ariane. Retourne à la maison.

Le ton était cassant. Celui du maître de la maison plus que celui de l'époux ou de l'amant. Ariane les engloba tous d'un regard et retraita vers son petit univers privé. Elle fit un détour peureux devant Clovis qui descendait de voiture en tenant en laisse un Rex déjà soupçonneux.

— Expliquez-moi ceci, monsieur Bréhaut.

Féroc indiquait du geste le mur voisin. Constitué de tôle gondolée, il visait, de toute évidence, à diminuer les risques d'incendie que pouvait créer le large feu de forge situé dans un angle de l'atelier. Une étincelle projetée par le martèlement d'un métal rougi au feu et c'était le désastre. Bréhaut était trop bon professionnel pour cultiver l'imprudence et le revêtement de tôle le confirmait. La même minutie expliquait le mode de rangement choisi par le mécanicien. Contre la tôle percée de multiples crochets de métal, des outils pendaient, tous et chacun cernés d'un large trait de peinture blanche qui en précisait la silhouette. Autour du pied-de-biche, le tracé en blanc d'un pied-de-biche. Au terme de son utilisation, l'outil reprenait naturellement sa place et l'inventaire se dressait d'un coup d'œil. Mais c'est également sans effort que les absences sautaient aux yeux: le profil tracé au pinceau fournissait l'identité de l'outil absent.

Le geste de Féroc tournait à l'accusation. Sur le panneau, deux crochets rapprochés et présentement sans occupant dénonçaient l'absence d'un marteau à deux larges têtes symétriques. L'outil, disait le tracé, avait un manche court et large.

— Le manche a cassé. Quand j'en aurai posé un autre, je le remettrai à sa place.

— Et la tête? demanda Féroc sous le regard des deux gendarmes qui avaient jugé bon de se rapprocher de Bréhaut.

— Elle n'était plus assez unie. Je l'ai jetée.

— Dans le Blavet?

Comme si on l'invitait à témoigner, Rex fixait Bréhaut. On s'approchait de l'accusation formelle.

— Passez-lui les menottes, ordonna Féroc aux deux gendarmes. J'ai des questions à vous poser au sujet du meurtre de Marie-Françoise Le Guern.

Bréhaut ne résista pas. Il devait considérer comme bien fragile la preuve recueillie contre lui. Après tout, un forgeron dont la panoplie de marteaux compte des dizaines d'outils peut bien en perdre un sans fonder une accusation de meurtre. Les gendarmes le conduisirent à leur voiture. Bréhaut dut s'incliner bien bas pour accéder au siège arrière. La portière se referma; elle ne pourrait s'ouvrir que de l'extérieur.

— Est-ce qu'on file tout de suite? demanda un des gendarmes.

— Non, dit Féroc. Il y a eu deux meurtres.

Depuis la porte arrière de la maison, Ariane observait la scène. Même si son seigneur et maître était désormais menotté et réduit à l'impuissance, elle n'osait pas remettre en question l'ordre qu'il lui avait intimé.

Clovis ouvrit le coffre de sa voiture et revint avec un sac de plastique contenant un soulier de femme. Féroc reconnut la chaussure de Viviane Le Guern. Rex, bien au fait des usages, plongea son museau dans le sac et se redressa aussitôt. Il hésita un instant, en proie à une sorte d'ambivalence. À la surprise de Féroc et de Clovis, il se dirigea vers un bac à demi rempli d'eau, puis, insatisfait, il s'intéressa comme Féroc l'avait fait au mur couvert d'outils. Quand il se dressa sur ses pattes arrière en grognant et tenta de grimper en direction des outils placés plus haut, Clovis fit signe à Féroc. À deux, ils déplacèrent rapidement une lourde table métallique au pied du mur. Rex, d'un bond, se hissa sur la table et rejoignit du museau un outil aussi trapu que le marteau manquant, mais porteur de têtes dissemblables. Clovis, main gantée, décrocha l'outil et l'enfouit dans un autre sac de plastique. Rex demeurait fébrile.

— La voiture de Bréhaut, suggéra Féroc.

Comme il le soupçonnait, la voiture n'était pas verrouillée et les clés étaient déposées sur le tableau de bord. Les vols de voitures ne sont pas la plaie sociale par excellence dans cette partie de la Bretagne. Féroc n'avait d'ailleurs nul besoin des clés. Il lui suffisait de déclencher l'ouverture du coffre arrière depuis la manette à l'intérieur de l'habitacle. Les mains gantées, il actionna la commande. À peine le coffre avait-il la gueule ouverte que Rex tentait rageusement de s'y introduire. Féroc n'en demandait pas davantage. Il referma le coffre, au grand dépit de Rex, et téléphona au laboratoire de la police pour demander la prise en charge du véhicule. Ou on le remorquerait pour le passer au peigne fin ou on effectuerait sur place les relevés nécessaires. Pendant que Clovis, Rex sur le siège à côté de lui, quittait le terrain de stationnement, Féroc se rendit à la résidence où une Ariane complètement déboussolée assistait aux événements dans l'impuissance la plus totale. Elle avait compris : nul ne devait toucher à la voiture de son mari. Féroc eut pitié d'elle.

— Allez-y, ordonna-t-il aux gendarmes.

Véritable petite caravane, les voitures, à la queue leu leu, prirent la direction de Pontivy. À leur droite, dans son encaissement, le Blavet continuait de rouler impassiblement ses eaux limoneuses.

35

Le vendredi 4 octobre

Féroc avait quelque peu devancé les événements quand il avait annoncé à Kervarec la venue de Jacinthe. Ce n'était ni chose faite ni même chose conclue. Le décalage horaire, le bien nommé, décalait les événements et causait des distorsions. Quand il eut conduit Bréhaut à la station de police et permis au mécanicien d'entrer en contact avec un avocat, l'heure était encore plus que matinale à Québec et carrément inconvenante à Vancouver. En revanche, Féroc avait encore le temps et surtout le goût de battre le scribouillard du *Nord-Ouest* à son propre jeu.

Le passage des heures avait graduellement substitué à la somnolence de l'aube un début de trépidation dans la salle de rédaction du quotidien. Les pages communes aux diverses éditions régionales arriveraient toutes faites, mais l'information régionale et les dizaines de photographies rendant compte des activités locales et régionales commençaient à peine à remplir ce qui allait constituer l'imposante section Pontivy. Féroc, sans trop connaître les secrets de la confrérie journalistique, jugea le moment opportun pour se présenter devant le directeur de la section. Aurait-il su que *Nord-Ouest*, snobé par Paris et les beaux esprits, présentait un tirage global deux fois supérieur à celui du *Monde* qu'il aurait peut-être hésité davantage.

— Monsieur Féroc, fit le directeur avec un sourire, en rendant sa carte au policier, de quoi sommes-nous accusés?

— Si je vous disais d'incitation au meurtre, riposta Féroc, j'exagérerais à peine.

Féroc ne souriait pas.

— Deux femmes ont été assassinées à Saint-Nicolas-des-Eaux, à quelques kilomètres d'ici.

L'autre acquiesça.

— Je sais. Nous avons couvert les funérailles. Famille éprouvée que celle des Le Guern.

Féroc coupa court. Il déposa sur le pupitre du directeur les trois textes faisant état des problèmes internes du clan Le Guern.

— J'aimerais parler à votre journaliste qui a rédigé ces trois billets au sujet des meurtres.

Le ton de Féroc n'était pas au badinage.

— Je ne crois pas qu'il soit ici. Il patrouille en région et dépose ses textes tout faits. Avez-vous un commentaire à formuler, monsieur Féroc?

— Convoquez-vous ce journaliste ou dois-je adopter tout de suite les grands moyens et porter des accusations?

— Je ne comprends pas! Quelles accusations?

— Deux femmes ont été assassinées, monsieur. Elles sont peut-être mortes parce que votre journaliste a persuadé le meurtrier qu'elles l'empêcheraient de succéder à Anne Le Guern à la tête des Produits Le Guern. Lisez ses textes maintenant puisque vous ne les avez manifestement pas lus avant publication. Les soulignés vont vous épargner du temps.

Le directeur, de fait, ne lut que les passages soulignés.

— Je vous concède que ce n'est pas du meilleur goût, mais de là à établir un lien de cause à effet, il y a une marge.

— De deux choses l'une, monsieur le directeur : ou votre scribouilleur et votre journal font amende honorable ou je vous blâme publiquement pour comportement contraire à l'éthique et conduite professionnelle indigne.

Devant le silence équivoque du directeur, Féroc ramassa et replia les coupures de presse.

— Vous comptez parmi vos annonceurs importants monsieur Loïc Kervarec, n'est-ce pas?

— Tout le monde peut s'en rendre compte.

— Donnez-lui donc un coup de fil et demandez-lui si votre journaliste a poussé le tueur au meurtre.

— Je ne vois pas comment vous pouvez proférer des accusations semblables, monsieur Féroc : personne ne sait encore qui est le meurtrier.

— Erreur, monsieur le directeur : votre journaliste le connaît. Au lieu de nous alerter, il a préféré l'inciter au meurtre. Nous venons d'arrêter le meurtrier.

— De qui s'agit-il?

— Demandez-le à votre journaliste. Ça vous fera un scoop.

Féroc était prêt à parier que le journaliste, maintenant privé de Kervarec et de Bréhaut comme sources d'inspiration, n'apprendrait qu'après coup l'arrivée de Jacinthe. En revanche, il n'aurait pas misé un vieux franc léger sur la carrière journalistique d'un apprenti sorcier irresponsable et sans doute vénal. Il sortit du siège social du journal avec un vif sentiment d'ambivalence. Son ami Pharand le mettrait sûrement en garde contre ce qu'il appelait la « tentation du missionnaire », la propension des gardiens de l'ordre à imposer eux-mêmes les règles sociales qui leur paraissent souhaitables. Ils en avaient longuement débattu. Marceau aussi, lors d'une de leurs conversations téléphoniques, avait demandé à haute voix s'ils avaient mission de traquer les criminels ou celle de rendre leur charme aux réunions familiales. Féroc s'aperçut que son monologue intérieur l'amenait à hausser très physiquement les épaules! Oui, il s'était fait plaisir. Oui, il avait proféré des accusations qu'il ne parviendrait pas à étayer à la satisfaction d'un tribunal. Oui, il en avait sous-entendu plus long que requis quant au rôle méprisable de Kervarec dans cette prostitution de l'information. Mais, la conscience en paix et l'adrénaline en voie d'apaisement, Féroc se sentait prêt à vivre avec les conséquences de sa sortie. Il se sentait assez ragaillardi pour entrer en contact, à des milliers de kilomètres de distance, avec la troisième des petites-filles d'Anne Le Guern. Il continuait à se demander, cependant, si Anne Le Guern en savait plus que lui et depuis plus longtemps sur l'identité du journaliste et sur ses motivations.

36

Le samedi 5 octobre

Pharand et Marceau avaient consacré l'avant-midi à rattraper le cours de leurs dossiers locaux et régionaux. Quand Pharand avait commencé sa journée, un courriel de Féroc l'attendait et lui résumait l'essentiel. Quand Marceau entra à cloche-pied, il lut à son tour le courriel. Les deux se regardèrent, le texte éructé par l'imprimante sur le pupitre de Pharand. Féroc, sans doute aussi secoué qu'eux, leur racontait d'abord les événements survenus en avant-midi à la résidence de Bréhaut. Puis, sans transition, il ajoutait : « C'est après que tout s'est gâché. Lisez ceci et rappelez-moi à la maison. » L'annexe greffée au mot de Féroc se lisait d'un trait, comme s'encaisse l'annonce d'une catastrophe.

J'ai trop souffert et j'ai causé trop de mal pour demeurer en vie. Je vais rejoindre ma cousine et ma tante que j'ai demandé à mon mari de tuer. Michel et moi, nous voulions de l'amour et du respect, nous n'avons reçu ni l'un ni l'autre.

Qu'on ne jette pas tout sur les épaules de Michel. C'est moi, enfant adoptée et jamais traitée comme un membre de la famille, qui ai donné à

Michel sa fierté. Il méritait de devenir le patron et nous avions le droit, nous aussi, de vivre comme des propriétaires.

C'était facile pour moi de tout savoir. J'étais un meuble dont on ne se méfie pas. J'étais jeune quand j'ai su que tante Viviane et Loïc Kervarec s'étaient aimés et qu'ils s'étaient revus. Quand j'ai su que Marie-Françoise avait une sœur, j'ai écrit à Loïc Kervarec que Viviane s'en venait pour le faire chanter. Je pensais que l'argent garderait Jacinthe loin d'ici. Quand l'ami de Marie-Françoise est venu, j'ai pensé qu'on pourrait lui mettre sur le dos la mort de Marie-Françoise. Quand grand-mère et tante Viviane ont pleuré ensemble sur la tombe de Marie-Françoise, j'ai compris qu'il faudrait supprimer tante Viviane aussi. C'est moi qui ai conduit tante Viviane à son rendez-vous avec Loïc Kervarec. Elle semblait presque heureuse et elle ne se méfiait pas.

Qu'on ne blâme pas trop sévèrement non plus mon ami d'enfance à qui j'ai fourni de quoi écrire ses articles. Il pensait que nous vivrions ensemble lui et moi après l'arrestation de Michel et je ne l'ai pas détrompé.

Je n'avais que Michel. Ma famille ne l'a jamais accueilli.

Ariane

— Où as-tu trouvé ça? demanda Pharand.

— Chez elle. Sur la table de cuisine. Il était trop tard: on venait de repêcher son corps dans le fleuve. Elle a visiblement longé le Blavet vers l'amont et elle s'est jetée dans l'eau profonde à un endroit qui échappe aux regards. Elle ne savait pas nager. Le corps dérivait vers l'écluse de Saint-Nicolas-des-Eaux quand l'éclusier l'a aperçu. Je me suis précipité à la résidence sur la corniche. La porte n'était pas verrouillée et sa lettre attendait le premier visiteur.

— Soupçonnais-tu quelque chose du genre? demanda Pharand.

— Non, fit sourdement Féroc. Les indices étaient pourtant là. Qui connaissait les secrets de la famille et pouvait alimenter le journaliste? Qui pouvait être au courant du rendez-vous de Kervarec et de Viviane? Qui pouvait savoir quels outils avaient servi? Qui pouvait conduire Viviane au promontoire sans éveiller sa méfiance? J'aurais dû vous écouter.

Pharand sursauta.

— Souviens-toi, André. Ça t'a tout de suite sauté à la figure quand tu as lu le premier article du *Nord-Ouest*. Tu t'es posé des questions au sujet de l'autre petite-fille d'Anne Le Guern.

— Mais moi, monsieur Féroc, intervint Marceau, qu'est-ce que je viens faire là-dedans?

— Même chose, répliqua Féroc. Vous vous demandiez si des enquêteurs doivent chercher à rendre les gens heureux et si nous devions intervenir pour consoler les familles.

— Vous pensez à Jacinthe?

— Oui, je pense à Jacinthe. Peut-être est-ce son apparition dans le décor qui a achevé de désespérer Ariane...

Le 6 août 2003.

DISTRIBUTEURS EXCLUSIFS

Distributeur pour le Canada et les États-Unis
LES MESSAGERIES ADP
MONTRÉAL (Canada)
Téléphone : (514) 939-3767 ou 1 800 933-3770
Télécopieur : (514) 939-0406 ou 1 800 465-1237
www. messageries-adp.com

Distributeur pour le Benelux
S.D.L. CARAVELLE
BRUXELLES (Belgique)
Téléphone : 0032 2 240 93 00
Télécopieur : 0032 2 216 35 98
info@sdlcaravelle.com

Distributeur pour la Suisse
TRANSAT S.A.
GENÈVE
Téléphone : 022/342 77 40
Télécopieur : 022/343 46 46

Distributeur pour la France et autres pays européens
HISTOIRE ET DOCUMENTS
CHENNEVIÈRES-SUR-MARNE (France)
Téléphone : 01 45 76 77 41
Télécopieur : 01 45 93 34 70
www.histoire-et-documents.fr

Dépôts légaux
1er trimestre 2004
Bibliothèque nationale du Canada
Bibliothèque nationale du Québec

Québec, Canada
2004